RÊVES DE BUNKER HILL

JOHN FANTE

RÊVES DE BUNKER HILL

Traduit de l'américain
par Brice Matthieussent

Postface de Philippe Garnier

CHRISTIAN BOURGOIS EDITEUR

Titre original :

Dreams From Bunker Hill

© John Fante 1982

© Christian Bourgois Editeur 1985 pour la traduction française.

ISBN 2-267-00413-5

CHAPITRE PREMIER

Ma première rencontre avec la gloire fut tout sauf mémorable. Je travaillais comme saute-ruisseau dans un magasin de délicatessen, chez Marx's. C'était en 1934. Le magasin se trouvait à Los Angeles, au coin de la Troisième Avenue et de Hill. J'avais vingt et un ans et vivais dans un monde limité à l'ouest par Bunker Hill, à l'est par Los Angeles Street, au sud par Pershing Square, au nord par le Centre Civique. J'étais le roi des saute-ruisseau doté de toute la verve et du style inimitable de la profession, et bien qu'horriblement mal payé (un dollar par jour plus les repas), j'attirais l'attention unanime quand je virevoltais de table en table, tenant mon plateau en équilibre sur une main et provoquant les sourires de tous les clients. En plus de mes talents de serveur, j'avais un autre atout pour mes patrons, car j'étais également écrivain. Ce fait bénéficia d'une certaine renommée après qu'un photographe soûl du *Los Angeles Times* se fut installé au bar pour prendre plusieurs clichés de moi en train de servir une cliente, qui levait vers moi des yeux pleins d'admiration. Le lendemain, j'avais ma photo dans le *Times* ; l'article attenant parlait de la lutte et des succès du jeune Arturo Bandini, un gamin ambitieux et travailleur originaire du Colorado, qui s'était fait un nom dans la jungle des revues littéraires en vendant une de ses nouvelles à l'*American Phoenix*, dirigée comme il se doit par le monstre sacré de la littérature américaine — j'ai bien sûr nommé Heinrich Muller.

Ce bon vieux Muller ! Comme j'aimais cet homme ! De fait, mes premières tentatives littéraires furent les lettres que je lui adressai pour solliciter ses conseils, lui exposer mes projets de nouvelles, après quoi je lui envoyai aussi des nouvelles, d'innombrables nouvelles, une par semaine, jusqu'à ce qu'Heinrich Muller, la terreur du monde littéraire, le tigre dans sa tanière, déclare forfait et condescende à me retourner une lettre de deux lignes, puis une deuxième de quatre lignes, puis une lettre de deux pages et vingt-quatre lignes, et enfin, merveille des merveilles, un chèque de cent cinquante dollars correspondant au paiement de ma première nouvelle.

Le jour où le chèque arriva, j'étais sans un. Mes vêtements impersonnels achetés dans le Colorado pendaient en lambeaux sur mon corps ; ma première idée fut donc de me payer une nouvelle garde-robe. Je devais faire attention à mes dépenses, mais je voulais des vêtements de bon goût ; je descendis donc Bunker Hill jusqu'au croisement de la Deuxième Avenue et de Broadway, où se trouve le magasin Goodwill. Je me dirigeai au rayon luxe et trouvai un excellent costume bleu d'homme d'affaires à fines rayures blanches. Le pantalon était trop long, ainsi que les manches ; le tout coûtait dix dollars. Pour un dollar de plus, je fis retoucher le costume et profitai de cet intermède pour explorer le rayon des chemises. D'excellente qualité et de styles variés, les chemises coûtaient cinquante *cents* pièce. Ensuite, j'achetai une paire de chaussures — de superbes oxfords tout cuir à semelles épaisses, des chaussures qui me transporteraient pendant des mois dans les rues de Los Angeles. J'achetai aussi d'autres choses, plusieurs paires de caleçons et de T-shirts, une douzaine de paires de chaussettes, quelques cravates, enfin un irrésistible et sublime chapeau mou. Crânement, je le posai de biais sur ma tête, sortis du salon d'essayage et payai ma note. Vingt sacs. C'était la première fois de ma vie que j'achetais des vêtements pour moi. Tandis que j'examinais mon reflet dans un miroir en pied, je ne pus m'empêcher de me rappeler que durant toutes les années que j'avais passées au Colorado, mes parents avaient toujours été trop pauvres pour m'acheter un costume, même à l'occasion des examens de fin d'année au lycée. Mais maintenant que je tenais le bon bout, rien ne pourrait m'arrêter. Heinrich Muller, le tigre rugissant du gotha littéraire, allait me pousser jusqu'au sommet. Je sortis de chez Goodwill et remontai la Troisième Rue ; j'étais un homme nouveau. Quand j'arrivai devant le magasin de délicatessen, Abe Marx, mon patron, était debout devant la porte.

« Bon Dieu, Bandini ! » s'écria-t-il. « Tu sors de chez Goodwill, ou quoi ? »

« Goodwill, mon cul », répliquai-je avec mépris. Tout ce que je porte vient directement de chez Bullock's, espèce de ringard. »

Deux jours plus tard, Abe Marx me tendit une carte de visite :

Gustave Du Mont, Dr. ès Lettres.
Agent Littéraire
Préparation et Mise au Point
de manuscrits, pièces, scénarios, nouvelles
Travail Editorial Exceptionnel
513 Troisième Rue, Los Angeles
Plaisantins s'abstenir

Je glissai la carte dans la poche de mon nouveau costume. Je pris l'ascenseur jusqu'au cinquième étage. Le bureau de Du Mont était au bout du couloir. J'entrai.

La salle d'attente ondulait, comme en proie à un tremblement de terre. Je retins mon souffle et jetai un coup d'œil circulaire. La pièce était pleine de chats. Des chats sur les fauteuils, sur les cantonnières, sur la machine à écrire. Des chats sur les étagères, dans les étagères. Une puanteur insupportable. Les chats se levèrent et se mirent à tourbillonner autour de moi, se frotter contre mes jambes, faire des galipettes sur mes chaussures. Sur le sol et à la surface de tous les murs, une couche de fourrure féline palpitait et ondulait comme un bassin d'eau soyeuse. Je traversai la pièce jusqu'à une fenêtre ouverte et baissai les yeux vers l'escalier d'incendie. Des chats montaient et descendaient. Une énorme créature grise arriva vers moi, une tête de saumon dans la gueule. Elle me frôla et sauta dans la pièce.

Un ronronnement monotone monta bientôt de la fourrure féline. La porte du bureau s'ouvrit. Gustave Du Mont, petit homme âgé aux yeux semblables à des cerises, se campa dans l'encadrement. Battant des bras, il se rua sur la masse hurlante des chats.

« Dehors ! Dehors ! Allez vous-en tous ! C'est l'heure de rentrer chez vous ! »

Les chats changeaient simplement de place, certains se lovaient à ses pieds, d'autres s'amusaient à griffer ses pantalons. Ils étaient ses maîtres. Du Mont soupira, lança ses bras en l'air en signe d'impuissance, et dit :

« Que puis-je faire pour vous ? »

« Je viens du magasin d'en bas. Vous avez laissé votre carte de visite pour moi. »

« Entrez. »

Je franchis le seuil de son bureau, et il ferma la porte. Nous étions dans une petite pièce, en compagnie de trois chats nonchalamment étendus sur une étagère. La crème des chats, d'énormes Persans qui léchaient leurs pattes avec un aplomb royal. Je les examinai. Du Mont semblait comprendre mon intérêt.

« Mes préférés », dit-il en souriant. Il ouvrit un tiroir de son bureau et en sortit une pinte de Scotch.

« Que diriez-vous de déjeuner, jeune homme ? »

« Non merci, Dr. Du Mont. Pourquoi avez-vous demandé à me voir ? »

Du Mont déboucha la bouteille, avala une gorgée d'alcool et poussa un soupir de contentement.

« J'ai lu votre nouvelle. Z'êtes un bon écrivain. Vous devriez pas être homme à tout faire. Vous méritez un cadre plus feutré. » Du Mont s'envoya une autre rasade. « Vous voulez un boulot ? »

Je regardais tous ces chats. « Peut-être. A quel genre de travail songez-vous ? »

« J'ai besoin d'un assistant pour les manuscrits. »

Je sentais la puanteur âcre de tous ces chats.

« Je ne suis pas certain de tenir le coup. »

« Vous parlez des chats ? Je m'en occuperai. »

Je réfléchis quelques instants. « Bon... de quel genre de manuscrits s'agit-il ? »

Il descendit une autre rasade. « Des romans, des nouvelles, tout ce qu'on m'envoie. »

J'hésitai. « Je peux voir la marchandise ? »

Son poing s'abattit sur une pile de manuscrits. « Servez-vous. »

Je pris le manuscrit posé en haut de la pile. C'était une nouvelle écrite par une certaine Jennifer Lovelace et intitulée *Passion à l'Aube*. Je grognai.

Du Mont but une autre gorgée. « C'est nul », dit-il. « Tout ce que je reçois est nul. Je ne peux plus lire ce genre de truc. Je n'ai jamais rien vu de pire. Mais si vous avez le cœur bien accroché, y a du fric à se faire. Plus c'est mauvais, plus c'est cher. »

Tout le devant de mon costume neuf était maintenant couvert de fourrure de chat. Mon nez me démangeait, je sentais que j'allais éternuer. Je me retins.

« Combien serai-je payé ?

« Cinq dollars par semaine. »

« Mince, ça fait seulement un dollar par jour. »

« A prendre ou à laisser. »

Je saisis la bouteille et bus une rasade.

L'alcool me brûla la gorge. On aurait dit de la pisse de chat.

« Dix dollars par semaine, ou je ne marche pas. »

Du Mont avança la main vers moi. « Conclu », dit-il. « Vous commencez lundi. »

Le lundi matin, je suis arrivé au travail à neuf heures. Les chats étaient partis. La fenêtre était fermée. On avait fait le ménage dans la salle d'attente. Il y avait un bureau pour moi près de la fenêtre. Tout était propre, sans une trace de poussière. Quand je frottai mon doigt sur le rebord de la fenêtre, puis l'examinai, il n'avait pas ramassé un seul poil de chat. Je humai l'air. Il sentait encore l'urine, mais la puanteur était masquée par un puissant désinfectant. Je distinguai aussi une autre odeur — le produit antichat. Je m'assis au bureau et sortis la machine à écrire, une vieille Underwood. Je glissai une feuille de papier dans le chariot et testai le clavier. Cette machine fonctionnait comme une tondeuse à gazon antédiluvienne. Brusquement je doutai de ce boulot, commençai à appréhender le pire. Pourquoi devrais-je remanier les textes d'autrui ? Je ferais mieux de rester dans ma chambre pour travailler sur mes propres textes. Que ferait Heinrich Muller à ma place ? J'étais sûrement un crétin.

La porte s'ouvrit, Du Mont entra. A ma grande surprise, je le découvris en chapeau-melon, veste grise sous une redingote, guêtres de ville et portant une canne souple. Je n'avais jamais été à Paris, mais ce petit homme tiré à quatre épingles me fit songer à la ville-lumière. Etait-il cinglé ? Je me mis soudain à le croire.

« Bonjour », dit-il. « Comment trouvez-vous vos appartements ? »

« Qu'est-il arrivé aux chats ? »

« Désinfectant », dit-il. « Ils ne supportent pas cette odeur. Rassurez-vous, je connais les chats, ils ne sont pas près de revenir. »

Il accrocha son chapeau et sa canne sur deux poignées de porte. Puis il tira une chaise et s'assit à côté de moi au bureau. Il saisit le manuscrit en haut de la pile, *Passion à l'Aube* par Jennifer Lovelace, puis entreprit de m'apprendre l'art de la révision littéraire. Il procédait brutalement, car c'est en vérité un travail brutal. Armé d'un crayon noir, il biffait, cochait, supprimait phrases, paragraphes, pages entières. Le manuscrit mutilé diminuait à vue d'œil ; je compris bientôt ce qu'on attendait de moi et à la fin de la journée, j'élaguais à tour de bras.

Vers quatre ou cinq heures de l'après-midi, j'entendis un bruit mat à la fenêtre. C'était un chat, un vieux matou à la triste mine. Il me regardait à travers le carreau, frottait son museau contre lui, puis le léchait en espérant que j'ouvrirais. Je l'ignorais pendant quelques instants ; quand je tournai de nouveau la tête vers lui, deux autres chats l'avaient rejoint sur le bord de la fenêtre et m'adressaient des regards pathétiques. Je ne supportai pas longtemps leurs airs suppliants. Je descendis par l'ascenseur jusqu'au magasin de délicatessen et trouvai quelques tranches de pastrami dans la poubelle. Je les enveloppai dans un mouchoir et les ramenai aux chats. Quand j'ouvris la fenêtre, ils se ruèrent dans la pièce et vinrent manger voracement dans ma main.

J'entendis Du Mont qui riait. Il était sur le seuil de son bureau, l'un de ses trois Persans dans les bras.

« Je savais bien que vous étiez un homme à chats », dit-il. « Je l'ai lu dans vos yeux. »

CHAPITRE DEUX

Je mis trois jours à réviser la nouvelle de Jennifer Lovelace. La version initiale comptait trente pages. J'en avais éliminé une bonne moitié. Ce n'était pas vraiment une mauvaise nouvelle ; mais la construction et l'écriture laissaient à désirer. Six maîtres d'école traversaient la plaine dans un chariot bâché, se faisaient attaquer par les Indiens et les bandits, mais arrivaient finalement sains et saufs à Stockton. Fier de mes modifications, j'apportai le manuscrit à Du Mont. Il le soupesa en fronçant les sourcils.

« Vous ne pourriez pas rajouter dix pages ? » me demanda-t-il.

« C'est assez long comme ça », insistai-je. « Je refuse d'ajouter un seul mot. Je crois que mon boulot va plaire à Jennifer Lovelace. »

Il tendit la main vers le téléphone. « Je vais lui annoncer que son manuscrit est prêt. »

Le lendemain après-midi, je nourrissais les chats quand Jennifer arriva. Elle était d'une beauté renversante. Elle portait un tailleur en toile blanche, des bas noirs, des chaussures noires, et un sac à main noir oscillait à son bras. Ses cheveux vaporeux étaient d'un noir brillant, son visage exquis, illuminé par deux yeux noirs. Il y avait tant de choses à admirer que je ne savais plus où donner des

16

yeux ; sa silhouette, la sensualité de sa taille et de ses hanches étaient affolantes, irrésistibles, incroyables. J'avais regardé des milliers de belles femmes depuis mon arrivée à Los Angeles, mais la beauté de Jennifer Lovelace me laissait pantelant.

« Bonjour », lui dis-je en me redressant.

« Bonjour », répondit-elle en souriant. « Je m'appelle Jennifer Lovelace. Le Dr. Du Mont est-il visible ? »

« Je vais voir. Asseyez-vous, s'il vous plaît. »

Tel un sublime oreiller de satin, elle flotta jusqu'à un fauteuil tandis que j'observais la mécanique de ses genoux, de ses cuisses, de ses hanches. Quand elle croisa ses mains exquises sur son ventre, je frissonnai de plaisir. Je frappai à la porte de Du Mont, qui me dit d'entrer. J'entrai, fermai soigneusement la porte et murmurai : « Elle est là ! »

« Chut ! » fit Du Mont en serrant les lèvres. « Laissons-la attendre un peu. Elle est riche. »

« Elle *a l'air* riche. »

Du Mont sortit une montre en or de la poche de sa veste et l'observa pendant ce qui me parut une éternité. Puis il s'écria : « Allons-y ! Faites-la entrer ! »

J'ouvris la porte et la trouvai assise dans une attitude souveraine qui exprimait patience et aplomb.

« Par ici, s'il vous plaît », dis-je.

« Merci », dit-elle en se levant.

Alors qu'elle s'avançait vers le bureau de Du Mont, je remarquai que le dos de son tailleur était couvert de poils de chat.

« Attendez ! » criai-je. Elle s'arrêta et me regarda, stupéfaite. Je tenais ma chance. Tombant à genoux derrière elle, j'entrepris d'ôter les poils de chat de son derrière somptueux, caressant les muscles durs de ses cuisses, palpant les rondeurs pulpeuses de son arrière-train. Elle s'éloigna immédiatement de moi.

« Que faites-vous ? » demanda-t-elle. « Comment osez-vous ? »

« Les chats, » lui expliquai-je en tendant mes deux mains couvertes de poils de chat.

Elle pivota du torse pour voir les poils qui souillaient son tailleur, et entreprit de l'épousseter d'une main. Je rampai pour lui prêter main-forte, mais elle me repoussa.

« Je vous en prie ! » implora-t-elle. « Laissez-moi tranquille. » Du Mont était maintenant à ses côtés, plein de sang-froid et de galanterie.

« Entrez donc, ma chère, » lui dit-il pour la calmer. Il s'effaça pour la laisser passer, puis referma la porte derrière elle. Je m'agenouillai par terre, confus et gêné, tandis que les chats se frottaient contre moi et miaulaient pour réclamer leur pitance.

Le silence régnait dans le bureau de Du Mont. Agenouillé devant le trou de la serrure, je voyais Jennifer assise en face de Du Mont. Elle grimaçait de colère en finissant de lire la version revue et corrigée de sa nouvelle.

« Mon manuscrit ! » s'écria-t-elle. « Que lui est-il arrivé ? » Elle fouillait dans son sac à main. « Donnez-moi une cigarette, s'il vous plaît. »

Du Mont lui en offrit une.

« Qu'avez-vous fait à ma nouvelle, Dr. du Mont ? Vous l'avez détruite — ma belle nouvelle ! Comment pouvez-vous me faire une chose pareille ? »

Du Mont tendit ses paumes vers Jennifer en un geste d'apaisement. « Ma chère, mentit-il, ce n'est pas moi le responsable. Je n'avais pas la moindre idée de ce qu'il tramait. »

Jennifer Lovelace se raidit sur son fauteuil. « Il ? De qui parlez-vous ? »

Du Mont ne dit mot. Il se contenta de prendre un air coupable et de tendre le menton vers la porte de la salle d'attente. Au moment précis où Jennifer Lovelace bondit sur ses pieds, je pris mes jambes à mon cou — filai dans le couloir, descendis l'escalier quatre à quatre, traversai le déli comme une fusée, puis me réfugiai au fond de l'allée. Je trouvai une caisse vide, m'assis dessus et fumai une cigarette d'une main tremblante. Autour de moi, je remarquais les chats, la même bande de matous qui fréquentaient mon bureau. Ils me regardaient avec curiosité, se demandant ce que je faisais sur leur territoire.

Je levai les yeux vers la fenêtre de mon bureau. Je ne pouvais pas retourner là-haut. De fait, je ne le voulais pas, car je me sentais trahi. Du Mont m'avait joué un sale tour. Maintenant j'avais honte des coupes sauvages effectuées dans le manuscrit de Jennifer. Si quelqu'un avait caviardé un de mes textes de la sorte, je lui aurais mis mon poing dans la figure. Je me demandais ce que Heinrich Muller aurait pensé de mon intégrité. Mon intégrité ! Cela me fit éclater de rire. Intégrité — des couilles. J'étais un minable, un zéro. Au diable tout ça. Je décidai d'aller acheter une paire de pantalons. Il me restait plus de cent dollars. Je désirais oublier mes ennuis et me lancer à corps perdu dans des dépenses inconsidérées. L'argent est fait pour être dépensé, non ?

Chez Goodwill, je choisis et essayai trois pantalons. Ils ne m'aidèrent pas beaucoup à remonter la pente. Je me regardais dans le miroir en pied, et je me voyais — le zéro, la nullité. Plein de honte devant Heinrich Muller, le lion de la littérature.

Laissant derrière moi la Troisième Avenue et Hill pour rejoindre Angel's Flight, je montai dans un trolley et m'assis. Le seul autre passager était une fille qui lisait un livre de l'autre côté de la travée centrale. Elle portait une robe unie, mais pas de bas. Elle avait beau être séduisante, ce n'était pas mon genre. Quand le trolley démarra, elle changea de siège. Même pas de cul, pensai-je. Si, un cul, mais sans la splendeur de celui de Jennifer Lovelace. Sans noblesse, sans la grandeur de l'authentique beauté. Un simple cul, un cul tout ce qu'il y a de plus banal. Ce n'était pas un jour faste.

Je descendis du trolley en haut d'Angel's Flight et pris la Troisième Rue en direction de mon hôtel. Puis je décidai d'aller boire une tasse de café et de fumer une cigarette dans le petit restaurant japonais situé à quelques pas de là. Le café chassa ma morosité et je rentrai à pied à l'hôtel. A la réception, la gérante était assise derrière son bureau. La première chose que je remarquai fut un exemplaire de l'*American Phoenix*. Voilà trois semaines qu'il n'avait pas bougé d'un poil.

Agacé, je marchai courageusement vers le bureau et le pris.

« Vous ne l'avez pas lu, n'est-ce pas ? »

Elle m'adressa un sourire hostile. « Non, je l'ai pas lu. »

« Et pourquoi non ? » répliquai-je.

« Ça me rase. J'ai lu le premier paragraphe, ça m'a suffi. »

Je glissai la revue sous mon bras.

« Je vais déménager », dis-je. « Très bientôt. »

« Comme vous voudrez. »

Je m'éloignai dans le couloir. Alors que je tournais ma clef dans ma serrure, j'entendis un verrou grincer de l'autre côté du couloir. Une porte s'ouvrit, et la fille du trolley sortit. Elle tenait toujours son livre. *Nana*, de Zola. Elle me sourit.

« Bonjour ! » dis-je. « Je ne savais pas que vous habitiez ici. »

« Je viens juste d'arriver. »

« Vous travaillez dans le quartier ? »

« Je suppose qu'on peut dire ça. » Elle me décocha un regard plein de sensualité. « Vous voulez qu'on se voie ? »

« Quand ? »

« Pourquoi pas tout de suite ? »

Je ne la désirais pas. Rien chez elle ne m'attirait, mais je devais me conduire en homme. Il n'y a qu'une seule issue à ce genre de situation :

« Avec plaisir », dis-je.

Elle alluma un petit éclair de sensualité dans ses yeux, puis ouvrit sa porte.

« Qu'attendons-nous ? » fit-elle.

J'hésitais. Seigneur, aidez-moi, suppliai-je

intérieurement. Je traversai le couloir et entrai dans sa chambre.

Elle me suivit à l'intérieur et ferma la porte.

« Tu t'appelles comment, chéri ? »

« Arturo », dis-je. « Arturo Bandini. »

Tendant les bras, elle m'enleva mon manteau.

« C'est combien ? » demandai-je.

« Cinq sacs. »

Elle me fit pivoter devant elle et commença à déboutonner ma chemise. Elle la posa sur une chaise, puis alla dans la salle de bains.

« A tout de suite. »

Elle entra dans la salle de bains et ferma la porte. Je m'assis sur le lit pour retirer mes vêtements. J'étais nu quand elle revint. J'essayai de cacher ma déception Elle sortait du bain, elle était propre, mais me paraissait impure. Son derrière pendait comme un orphelin. Nous n'allions pas arriver à grand-chose ensemble. Ma présence dans sa chambre était de la pure folie. Elle s'empara de ma verge et m'entraîna dans la salle de bains. Elle lava et savonna mes reins, ses doigts experts malaxèrent résolument mes organes, mais sans résultat notable. Jennifer Lovelace et la splendeur de ses flancs occupaient toutes mes pensées. Puis elle m'essuya et nous retournâmes dans sa chambre pour nous allonger sur le lit. Elle écarta ses membres nus et je m'allongeai à côté d'elle.

« Vas-y », dit-elle. J'aventurai un doigt dans ses poils pubiens.

« Ça t'ennuie si je lis ? » demanda-t-elle. « Passe-moi mon bouquin. »

Je lui donnai son livre, elle l'ouvrit et

22

reprit sa lecture où elle l'avait laissée. Pétrifié, je m'interrogeais. Dieu de Dieu, et si ta mère entrait maintenant dans cette chambre ? Ou ton père ? Ou Heinrich Muller ? Qu'allait-il se passer ?

Du menton, elle me montra un compotier plein de pommes posé près du lit.

« T'en veux une ? » me proposa-t-elle.

« Non merci. »

« Donne-m'en une, s'il te plaît. »

Je lui tendis une pomme. Ainsi, elle lisait et mangeait.

« Allez, chéri », câlina-t-elle. « Amuse-toi un peu. »

Je lançai mes jambes par terre et me levai.

« Qu'est-ce qui y a ? » demanda-t-elle d'une voix hostile.

« T'inquiète pas, je vais te payer. »

« Tu aimerais que je te suce ? »

« Non », dis-je.

Elle referma violemment son livre.

« Tu sais ce qui cloche chez toi, fiston ? T'es un pédé. Voilà c'qui cloche chez toi. T'es une tantouze. J'connais les mecs de ton espèce. »

Elle prit mon manteau, mon pantalon, mes sous-vêtements, mes chaussures et mes chaussettes, se rua vers la porte et lança le tout dans le couloir. Je sortis et ramassai mes affaires.

« Je te dois cinq sacs », lui dis-je.

« Non, que dalle. Tu me dois que dalle. »

Je cherchai la clef de ma chambre dans la poche de mon manteau. Au bout du couloir, m'observant les bras croisés, il y avait

Mme Brownell, la gérante. Je tournai la clef et bondis dans ma chambre.

Je me sentis sauvé, soulagé, délivré. J'allai à la fenêtre regarder l'immense cité qui s'étalait à mes pieds. Je croyais voir un univers entier. Loin au sud-ouest, le soleil qui rencontrait l'océan dardait des pinceaux de lumière céleste. Un message divin. Un signe de l'au-delà. L'Enfant Jésus dans sa crèche, l'Etoile de Bethléhem. Je tombai à genoux.

« Oh, doux enfant Jésus, priai-je, merci de m'avoir sauvé aujourd'hui. Soyez béni pour la bonté divine qui m'a délivré de la chambre du péché. Je le jure en cet instant — plus jamais je ne pécherai. Pendant le restant de mes jours, je me rappellerai votre glorieuse intercession. Merci, petit Fils de Dieu. Je suis votre humble serviteur à partir de maintenant et jusqu'à dorénavant. »

Je fis le signe de croix et me relevai. Je me sentais si bien. J'avais brusquement retrouvé la foi de ma prime jeunesse. Je devais absolument parler à Jennifer Lovelace. Je m'habillai, puis quittai ma chambre. Dans la cabine publique, je composai le numéro de Du Mont.

« Qu'est-ce qui vous a pris ? » me demanda-t-il.

« Je suis à mon hôtel. Quel est le numéro de téléphone de Jennifer Lovelace ? »

Il me le donna et je le notai.

Je retournai dans ma chambre et m'assis devant la machine à écrire. Je tapai pendant un quart d'heure — deux pages bouleversantes. Je pliai mes feuilles et sortis de l'hôtel pour rejoindre la cabine publique située sur le trottoir d'en face, d'où je téléphonai à Jennifer.

Je dépliai mes notes en entendant le téléphone sonner.

« Allô. » C'était elle.

« Jennifer, c'est Arturo Bandini. »

Il y eut un silence à l'autre bout de la ligne. La sueur jaillissait de mon corps. Ma voix tremblait.

« Jennifer, je veux que vous me pardonniez. J'ignore pourquoi j'ai détruit votre beau manuscrit. Je crois qu'il faut simplement attribuer cela au manque d'expérience. Je suis un bon écrivain, Jennifer. Je peux vous le prouver. Je vais vous montrer une partie de mon travail. Vous verrez que je suis un écrivain formidable. Je n'ai jamais voulu démolir votre manuscrit, je ne suis pas un critique, Jennifer. J'ai simplement suivi les consignes de Du Mont. J'ai commis une terrible erreur. J'aimerais tellement vous rencontrer et vous expliquer ce qui s'est passé. Je voudrais vous prouver que j'ai un talent merveilleux. S'il vous plaît, Jennifer. Laissez-moi une chance de m'expliquer... »

J'avais mille autres choses à lui dire, mais elle me coupa.

« Dimanche vous conviendrait-il ? »

« N'importe quel jour, Jennifer, n'importe quel jour. »

Elle me donna son adresse à Santa Monica.

« Merci, Jennifer. Vous ne le regretterez pas. »

Elle raccrocha.

CHAPITRE TROIS

Le soleil frappa mon visage comme un gros œil d'or, et me réveilla. Nous étions dimanche matin et la journée s'annonçait splendide. Je bondis de mon lit, ouvris grand la fenêtre et dis bonjour au monde entier, salut tout le monde ! Bonne chance à tous ! Un jour faste et tout neuf. Je me rappelai mon père dans le Colorado devant l'évier de la cuisine par une superbe matinée de printemps, et qui chantait à pleins poumons en se rasant. *O Sole Mio*. Debout devant le miroir de la salle de bains, je chantais aussi. Dieu, que je me sentais bien ! Comment était-ce possible ? En guise de petit déjeuner, je pelai et mangeai deux oranges.

Vêtu de mon superbe costume Goodwill à fines raies et de mon sublime chapeau mou, je glissai un exemplaire de l'*American Phoenix* sous mon bras et sortis de ma chambre pour aller à la conquête d'une femme. Sur Olive Street, je me pavanai dans la lumière du dimanche matin. La cité semblait déserte, la rue était tranquille. Je m'arrêtai pour écouter. J'entendis quelque chose : le bruit du bonheur. C'était mon propre cœur qui battait doucement, régulièrement. Un réveille-matin, voilà ce que j'étais, une petite machine à bonheur. Je traversai la Cinquième Rue vers

26

l'hôtel Biltmore. Des gens bien habillés entraient et sortaient par la porte à tambour. Des gens comme moi, raffinés, élégants, le dessus du panier. Un portier en livrée flanquait l'entrée principale. Il me fit l'effet d'un géant quand il me salua. Je lui rendis son salut.

« Auriez-vous l'heure ? » lui demandai-je.

« Bien sûr, monsieur. » Il regarda sa montre. « Il est onze heures, monsieur. »

« Merci. »

Je m'avançai au bord du trottoir et regardai la longue file des taxis. Tous les chauffeurs attendaient au volant. Une idée explosa brusquement dans ma tête. J'allais prendre un taxi pour me rendre chez Jennifer. Toute ma vie, j'avais désiré prendre un taxi, mais pour diverses raisons, toutes d'ordre financier, je ne l'avais jamais fait. Maintenant je pouvais l'oser. Je pouvais arriver avec classe. Je pouvais glisser moelleusement jusqu'à sa maison, attendre que le chauffeur ouvre ma portière, puis descendre comme un prince. Le portier s'avança à ma hauteur.

« Un taxi, monsieur ? »

« Volontiers. » Il ouvrit la portière du premier taxi de la file, et je montai. Le chauffeur se retourna et me regarda.

« Où allons-nous, monsieur ? »

« 1724, Huitième Rue, à Santa Monica. »

« C'est une longue course », dit-il.

« C'est sans importance », répliquai-je. « Sans aucune importance. »

Le taxi quitta le trottoir, prit à droite dans la Septième Rue, puis à droite dans la Rue de l'Espoir et Wilshire Boulevard. La gorge nouée, je regardais les rues et les boutiques. Quelle cité magnifique ! Tous ces gens de la haute qui exhibaient leurs plus beaux atours pour sortir de l'église ou faire du lèche-vitrine sur ce magnifique boulevard. Je ne pouvais en douter : cette ville et ce jour étaient les miens.

Le chauffeur de taxi avait raison. C'était une longue course — sept dollars et vingt *cents*. Il enfonça une touche du taximètre et je lus le chiffre définitif. Je sortis du taxi et tendis au chauffeur un billet de dix dollars. Il me rendit la monnaie, que je comptai. Alors je me rappelai qu'il fallait donner un pourboire. Il me regardait. Je lui tendis une pièce de dix *cents*.

Ses lèvres s'ouvrirent : « Merci bien, monsieur. »

Pivotant sur mes talons, j'avisai la maison de Jennifer. C'était une fantaisie victorienne en jaune et blanc, flanquée de coupoles qui s'élevaient à partir du deuxième étage — une vraie maison de conte de fées. Les coupoles étaient décorées de panneaux de bois où figuraient des volutes, des rouleaux et des personnages exécutant des pirouettes. Un vrai gâteau de mariage auquel il ne manquait plus que le marié et l'heureuse élue. Je m'assis fièrement dans un bosquet d'immenses sapins, bizarrement incongru et rappelant plutôt la sorcellerie du Moyen Age. La maison de Jennifer ! J'aperçus de grands fauteuils confortables sur la véranda et souris en songeant que son cul sublime leur avait fait l'honneur d'un contact prolongé.

Elle ouvrit la porte alors que je gravissais les marches du perron.

« Bonjour ! » me dit-elle en souriant. « Je

suis contente que vous soyez venu. Entrez, je vous prie. »

Elle poussa la porte grillagée et j'entrai. La pièce était époustouflante. Un piano à queue, des fauteuils luxueux, de gigantesques fougères, des lampes Tiffany et une immense peinture à l'huile au-dessus de la cheminée — représentant un enfant aux longues boucles. Elle me laissa le temps d'examiner le portrait tout en m'expliquant que l'enfant du tableau était elle-même.

« Asseyez-vous », me dit-elle. « Ma mère et mon père sont à la messe. Ils ne devraient pas tarder à rentrer. »

« Etes-vous allée à la messe ce matin ? » demandai-je.

« Oh oui. Vous êtes catholique ? »

« Naturellement. » Je souris. « L'église fait partie de ma famille depuis des générations. »

« Alors vous êtes allé à la messe ce matin ? »

« Bien sûr. Manquer la messe un dimanche matin est un péché mortel. Comme vous le savez certainement. »

Elle sourit. « Evidemment. »

Je m'assis. « A dire vrai, j'ai eu une sorte de querelle théologique avec mon confesseur, ce matin. »

Elle lissa son tailleur sous ses cuisses avant de s'asseoir. Ses fesses remplissaient le fauteuil comme un œuf adorable remplit un nid.

« Quelle est votre paroisse ? » demanda-t-elle.

Réfléchissant qu'il ne pouvait pas ne pas y avoir à Los Angeles une Eglise Sainte Marie, je répondis : « Sainte Marie de la Guadeloupe. »

« Elle est magnifique, n'est-ce pas ? » s'écriat-elle. « J'adore cette église. »

« Je vais souvent y prier. »

« Vous parliez d'une sorte de querelle avec votre confesseur. Que vouliez-vous dire ? »

« J'accepte de vous en parler, mais que cela reste entre nous. Sous le sceau sacré de la confession. »

Elle poussa un léger cri et porta la main à son sein. « Ne préférez-vous pas garder cela pour vous ? » me demanda-t-elle.

« Non, je dois vous en parler. » Je me tordis les mains quelques instants, puis continuai.

« Vous vous souvenez des scènes de débauche dans votre manuscrit ? Avez-vous oublié que je les ai barrées, au mépris de vos propres sentiments ? Avez-vous oublié votre colère quand vous vîtes mon sacrilège ? »

Elle secoua solennellement la tête de gauche à droite.

« Quand je suis entré dans le confessionnal et que j'ai fait face au prêtre, j'avais une seule question à lui poser : avais-je commis un péché mortel en détruisant votre œuvre ? Avais-je gravement offensé la loi divine ? Dieu pourrait-il me pardonner ? Le prêtre me regarda à travers le grillage, réfléchit quelques instants, puis me dit : " La profanation des chefs-d'œuvre artistiques constitue l'un des plus grands péchés qu'on puisse commettre contre la loi de Dieu. " »

Elle parut terriblement impressionnée et se leva :

« Vous voulez un Coca, M. Bandini ? »

« Oui, avec plaisir. »

Elle se dirigea rapidement vers la cuisine, son cul somptueux suivant le mouvement en cadence.

Je la rejoignis alors qu'elle sortait deux Cocas du réfrigérateur. Elle m'en tendit un. Chacun décapsula sa bouteille et but. Sur la table, il y avait un panier de pique-nique recouvert. Je soulevai le couvercle pour jeter un coup d'œil à l'intérieur.

« C'est pour nous », dit-elle.

« Nous allons quelque part ? »

« Sur la plage. »

« Au bord de l'océan ? »

« Naturellement. »

« Nous pourrons nager ? »

« Ça se fait. »

« Mais je n'ai pas de maillot de bain. »

« Vous pouvez en emprunter un à mon frère. »

Nous finissions nos Cocas.

« Allons-y », dit-elle.

Portant le panier de pique-nique, je la suivis par l'escalier de derrière jusqu'au garage où se trouvait une Chevrolet à deux portes. Je posai le panier sur le siège arrière et me glissai à côté d'elle. Elle mit le moteur en marche, puis descendit l'allée jusqu'à la rue et s'engagea dans le flot des voitures.

A un mille au nord de la jetée de Santa Monica, au bord de la route de la côte pacifique, se trouvait un groupe de vieux bungalows de plage marqués par les intempéries. Jennifer s'arrêta au bord du trottoir et nous descendîmes de voiture. Une allée en bois traversait une haute clôture pour aboutir à l'une des douze baraques construites sur le sable. Elle tourna une clef dans la serrure et nous entrâmes. Le bungalow appartenait à sa famille. Les aménagements intérieurs étaient assez sommaires — un poêle, un réfrigérateur, une table et des chaises. Deux chambres à coucher donnaient dans la cuisine. Elle entra dans l'une, ressortit bientôt en costume de bain noir, et me lança le maillot de son frère. Pendant que je me déshabillais, elle sortit et courut vers les vagues. J'enlevai mes vêtements et grimaçai à la vue de mon corps blanc comme un lys. Songeant à un cochon rose, je redoutai de lire du dégoût sur son visage quand elle me verrait. Mais elle ne fut nullement dégoûtée ; elle s'allongea sur le sable chaud et lut *The American Phoenix* à travers ses lunettes de soleil à monture en écaille.

L'océan était époustouflant. J'oubliai mon corps pâle privé de soleil pour le regarder avec stupéfaction. La plage était quasiment déserte. Un groupe d'enfants arriva en trottant ; ils s'arrêtèrent pour m'observer, gloussèrent, puis repartirent. Avec précaution, je permis aux petites vagues de couvrir mes orteils, puis pataugeai avec plaisir dans dix centimètres d'eau. Je m'aventurai progressivement en eau de plus en plus profonde, et je me mis à nager, revigoré par les vagues fraîches. Le Colorado me semblait infiniment loin. Je songeai qu'en cet instant, ma mère devait être rentrée de la messe et préparait le déjeuner. Elle pensait probablement à moi au moment précis où je pensais à elle.

Je regardais sans cesse Jennifer. Absorbée par la lecture de son magazine, elle ne m'accordait aucune attention. Je me campai devant elle et lui demandai de me consacrer quelques instants.

« Regardez ! »

Je fis une roue, puis une autre, puis une troisième. Elle sourit vaguement et retourna à son magazine. J'avais d'autres cordes à mon arc, car à l'Université du Colorado j'avais été membre de l'équipe d'acrobatie.

« Regardez ça ! »

J'exécutai quelques sauts périlleux avant. Elle leva les yeux et me gratifia d'un sourire distrait.

« Et ça ! Regardez ! »

Je commençai à marcher sur les mains vers l'océan, entrant dans l'eau jusqu'aux épaules, puis je me laissai tomber en avant. Quand je me retournai vers la plage, Jennifer avait disparu. Je la vis courir dans le sable et entrer dans le bungalow. Je courus derrière elle.

Elle sortait de la nourriture du panier de pique-nique — une laitue, des oignons, des tomates — qu'elle lavait dans l'évier, puis coupait dans un saladier en bois. Elle avait mis un petit tablier sur son maillot de bain noir luisant. J'en restai bouche bée. Son corps était volupteux, fascinant, irrésistible. Quand j'allumai une cigarette, ma main tremblait, mais je me dis que le grand moment était arrivé. C'était maintenant ou jamais. Ne fais pas l'andouille. Agis. Pareille occasion ne se représentera jamais. Sois courageux. Tu n'as rien à perdre. Tout à gagner. Je me jetai sur elle, tombai à genoux, mes bras enlacèrent sa taille.

« Je vous aime », dis-je. « Je vous désire. »

Elle fit pivoter ses merveilleuses hanches pour se libérer. Mais je serrais sa taille comme un tigre sa proie. Elle brandit alors le sala-

33

dier et l'abattit sur mon crâne. Je sentis une inondation de mayonnaise, d'huile d'olive et de légumes ; je glissai sur le sol, l'entraînant sur moi.

« Espèce d'imbécile ! » cria-t-elle. « Voulez-vous me lâcher ! Espèce de sauvage ! »

Nous étions pris dans un tourbillon de violence inexplicable, nous luttions au corps à corps, glissions sur le sol de la cuisine, livrant un combat absurde. Elle hurla quand je mordis son cul. Elle se mit à quatre pattes, se libéra de ma prise, rampa dans la chambre à coucher et ferma la porte derrière elle.

Haletant, je m'assis dans le marécage d'assaisonnement. Quelle bourde avais-je encore commise ? Mon exemplaire de l'*American Phoenix* gisait dans le gâchis, maculé d'huile et de mayonnaise. Que faire maintenant ? demandai-je. Partir, répondis-je. Décamper. Se tirer d'ici. Je rampai vers une chaise et vis des marques de griffes sur ma poitrine et mes jambes. La fin du monde. La mort de mon amour.

La porte de la chambre à coucher s'ouvrit et elle sortit. Elle essuyait son corps avec une serviette, retirait l'assaisonnement. Elle ne dit pas un mot.

« Je suis navré », dis-je.

« Espèce de fils de pute ! » me lança-t-elle. Elle prit ses clefs sur la table et se dirigea vers la porte. « Une dernière chose », ajouta-t-elle d'un ton cassant. « Il n'existe aucune église du nom de Sainte Marie de la Guadeloupe ! »

Elle sortit. Je la suivis jusqu'à la route. Elle monta dans sa voiture et démarra.

Je voulais pleurer, maudire ma stupidité. Je retournai au bungalow, enlevai le maillot de bain et pris une douche froide. Je me séchai, m'habillai, fermai les portes du bungalow, puis me dirigeai vers la route. Des baigneurs descendaient le talus abrupt sous les palissades. Je traversai la route et m'engageai sur le sentier du talus. Il aboutissait à Ocean Avenue et au dépôt de bus. Je montai dans le bus qui allait partir et rentrai à mon hôtel.

Alors que je tournais la clef dans ma serrure, j'entendis une radio de l'autre côté du couloir. Elle jouait *Begin the Beguine*. J'entrai dans ma chambre, me déshabillai et enfilai un peignoir. Maintenant il faisait presque nuit, c'était l'heure des ténèbres, de la solitude, de l'érotisme. Je sortis de ma chambre, traversai le couloir et frappai à la porte en face. La radio se tut et elle appela :

« Entre ! »

J'ouvris la porte.

Allongée sur son lit, elle portait seulement un slip rose et lisait toujours *Nana*. Elle fronça les sourcils.

« Qu'est-ce que tu veux, toi ? »

« Baisons », dis-je.

CHAPITRE QUATRE

Les jours filaient. Le mois d'août arriva, torride et poisseux. Un soir, il plut. Les clients de l'hôtel sortirent dans la rue pour attraper la pluie dans leurs mains. Un doux parfum envahit Bunker Hill. La pluie éclaboussait nos visages. Puis ce fut fini. Je m'acharnais sur une nouvelle. Je l'emportais quand j'allais travailler au bureau de Du Mont. Plusieurs fois par jour, il venait regarder ce que j'écrivais. Un jour, il arracha la page de ma machine à écrire.

« Z'êtes viré », dit-il. Il tremblait de tout son corps. « Ramassez votre nouvelle et sortez d'ici. »

Je suis parti. Je suis entré dans un cinéma, j'ai descendu Main Street jusqu'aux Follies, dont la publicité annonçait un spectacle de Ginger Britton. Elle en était au milieu de son strip, elle ondulait parmi les drapés, son cul un parfait Rubens. Je trouvai un fauteuil au premier rang, je la dévorai des yeux. Elle était magnifique, elle avait le cul d'une jeune pouliche, ses hauts talons martelaient la scène, elle tournait le dos au public, puis se penchait en avant pour nous regarder entre ses jambes. Un cul incomparable, champion du monde toutes catégories, une peau qui brillait comme la chair d'un melon de Cavaillon. Ses longs cheveux roux descendaient jusqu'à ses hanches, ses seins de Walkyrie décrivaient des cercles insensés. Le public ravi hurlait et sifflait. Il me mettait en rage. Nom de Dieu, pourquoi étaient-ils si vulgaires ? Ils regardaient une œuvre d'art en manifestant les bas instincts des spectateurs d'un match de boxe. C'était un sacrilège. Quand Ginger quitta la scène, les applaudissements furent accompagnés d'ignobles cris salaces. Incapable d'en supporter davantage, je quittai immédiatement la salle. Furieux, je rentrai à mon hôtel. Je m'assis à ma machine à écrire et écrivis une lettre à Ginger Britton :

Chère Ginger Britton,
    Je vous aime. Je vous ai vue aujourd'hui et je vous aime à la folie. Je vous respecte. J'aimerais tant vous connaître, vous parler, tenir votre main, vous prendre dans mes bras et vous couvrir de baisers. Le spectacle de votre danse a fait naître une flamme dans tout mon corps. Je donnerais n'importe quoi pour vous emmener dîner dans un restaurant chic et tranquille, sentir vos cheveux roux contre mon visage, vos lèvres humides de vin contre les miennes ! Soyez bonne pour moi, chère lady des Follies, invitez-moi un soir à vous retrouver après votre spectacle. Je tremble d'amour.

                    Arturo Bandini.

Je signai la lettre, la glissai dans une enveloppe et la portai à la réception. Mme Brownell était assise derrière son bureau. Je lui demandai un timbre. Je sentis alors une odeur insupportable venant de ses appartements situés derrière le bureau.

« Qu'est-ce que c'est ? » demandai-je en reniflant.

« Pâté au hachis », dit-elle. « Je viens juste de le sortir du four. »

« Odeur appétissante.. »

« Vous en voulez une part ? »

C'était la première phrase amicale que j'entendais dans sa bouche. Je scrutai ses yeux bleu ciel en m'interrogeant sur la raison de ce changement. Elle était réellement aimable, rien à voir avec la salope que j'avais vue jusqu'ici.

« Merci, Mme Brownell. J'accepte volontiers. »

Elle me proposa d'aller dans sa chambre. Je restai debout à regarder le décor. Le mobilier était modeste — une cuisinière, un réfrigérateur, une table, deux chaises et un canapé-lit.

« Asseyez-vous, M. Bandini. »

Je m'assis à la table et la regardai découper une part dans un gros pâté au hachis. Elle n'était pas jeune. Peut-être cinquante-cinq ans. A bien y regarder, elle était pourtant mince et bien roulée. Elle avait même encore un cul appétissant. Elle posa la part de pâté dans une assiette creuse et versa du brandy dessus.

« C'est drôle », dit-elle. « Malgré la chaleur, j'ai passé ma journée à penser à du pâté au hachis. Maintenant, je sais pourquoi. »

Elle me sourit et me montra une dentition parfaite, puis elle poussa l'assiette devant moi. Elle me donna une cuillère et je goûtai le pâté. Je le mangeai sans doute très vite, car elle m'en servit bientôt une deuxième part. C'était un pâté très fort, mais il me plut ; j'avalai le brandy comme une soupe et ressentis une chaleur bénie envahir mon estomac. Ensuite la soirée se brouilla, j'étais soûl. J'entendis Mme Brownell parler du Kansas et d'un dîner de Thanksgiving dans une ferme près de Topeka, parler de ses frères et sœurs, m'expliquer comment son père était parti avec une femme de Wichita.

Je me réveillai au lit. Pas dans mon lit, dans celui de Mme Brownell. J'étais allongé sur le dos, près du mur. La personne endormie contre moi était Mme Brownell. Elle portait une chemise de nuit et un bonnet de nuit blancs. Elle me faisait face, ses deux mains serraient mon bras et elle ronflait mélodieusement. Le réveil annonçait trois heures du matin. Je fermai les yeux et me rendormis.

Nous étions bons l'un pour l'autre, Helen Brownell et moi. Chaque soir, sa chambre m'était ouverte. Parfois elle souriait quand je m'asseyais pour enlever mes chaussures. D'autres fois, elle ne m'accordait pas la moindre attention, comme si ma présence était devenue une habitude. Elle m'avait surnommé son petit champion, car je n'étais pas très grand, et moins trapu que son mari, un comptable qui était mort cinq ans plus tôt. Quand l'extinction des feux arrivait, elle disparaissait dans la salle de bains pour se déshabiller, puis en ressortait vêtue d'une chemise de nuit et d'un bonnet de nuit en mousseline. Elle éteignait la lumière de la salle de bains et se glissait dans le lit à côté de moi. Nous partagions l'obscurité, enfin parfois. Parfois je la pelotais un peu, elle aimait ça. Le plus souvent, elle était comme une parente dans la nuit, une tante non mariée, ma tante Cornelia qui habitait avec nous quand j'étais petit, et qui détestait les enfants. Le matin, le grésillement du bacon me réveillait, et je la voyais penchée sur la cuisinière, en train de préparer mon petit déjeuner.

« Bonjour », disais-je, et elle me répondait : « Le déjeuner est prêt, petit champion. »

Parfois elle se penchait au-dessus de moi et m'embrassait sur le front. Elle se douta certainement que je n'avais pas d'argent, car presque tous les jours je trouvais deux dollars au fond de ma poche. J'essayai bien de faire la vaisselle, mais elle ne voulut rien entendre. Nourri et reposé, je retournais dans ma chambre affronter ma machine à écrire, monstre noir qui me fixait en dénudant ses dents blanches. Parfois j'écrivais dix pages. Cela ne me plaisait pas, car chaque fois que j'étais prolifique, je savais que c'était mauvais. Je reniais presque tout ce que j'écrivais. Je devais être patient. Je savais que mon heure viendrait. La patience ! Ce n'était pas ma plus grande qualité.

Un jour, le courrier m'apporta une surprise. La lettre me brûla les mains. Je la reconnus immédiatement. C'était une lettre de Ginger Britton, parfumée au gardénia. Je l'emportai dans ma chambre, m'assis sur le lit, l'ouvris et découvris une écriture élégante et régulière. Ginger Britton me remerciait pour ma lettre. Elle avait beaucoup apprécié ce que je lui avais écrit, elle était ravie. Malheureusement, elle ne pouvait me retrouver après son spectacle, car elle était certaine que son mari ne le permettrait jamais ; néanmoins, elle me pressait de venir souvent aux Follies pour assister à son spectacle. Elle adorait ma lettre. Elle avait été bouleversée en la lisant. Toute sa vie, elle la conserverait comme un trésor.

Je pressai la sienne contre mon visage pour respirer le parfum de ses gardénias. Je posai mes lèvres dessus et roucoulai de plaisir. Da, da, da, murmurai-je. Oh Ginger Britton, comme je vous aime ! Da, da, da.

J'étais assis au premier rang du théâtre des Follies quand le rideau se leva pour le spectacle de burlesque. Elle entra sur scène avec la troupe au grand complet et je me calai confortablement dans mon fauteuil. J'avais un plan : lui chuchoter des mots doux, lui adresser des petits signes, lui envoyer un baiser, mais quand je regardai autour de moi, chaque visage devenait le visage de son mari, si bien que je perdis courage.

Puis je levai les yeux vers elle. Elle me souriait. Elle m'avait reconnu. Je savais sans le moindre doute possible qu'elle m'avait reconnu ; l'intimité de son sourire me fit frissonner de joie, et j'agitai bêtement deux ou trois doigts pour lui montrer que j'avais compris son message. Ensuite, elle entama son numéro habituel, tourbillonnant au milieu de la scène, puis se penchant en avant pour regarder le public entre ses jambes, et dans cette posture elle tourna son visage vers moi et m'adressa un large sourire. Inquiet, je regardai mes voisins. Les spectateurs ne me prêtaient aucune attention, sauf un type assis deux rangs derrière un Noir costaud au visage patibulaire qui me renvoya mon regard. Sentant les ennuis arriver au galop, je me levai et quittai la salle. Le Noir était soit son mari, soit un fan qui avait aussi écrit à Ginger Britton.

CHAPITRE CINQ

En revenant à Bunker Hill, je traversai Pershing Square. La nuit était tiède, le parc scintillait sous les lampadaires. Les gens assis sur les bancs du parc jouissaient du calme et de la fraîcheur après une journée torride. Au centre des arbres, il y avait un banc occupé par des joueurs d'échecs. J'en comptais quatre de part et d'autre d'une longue table, chacun jouant sur un échiquier. Ils jouaient très vite — ces huit joueurs combinaient leurs talents contre un seul adversaire, un vieillard insolent, braillard et brillant qui virevoltait en manches courtes, allait d'un joueur à l'autre, déplaçait une pièce, proférait une insulte avant de passer à l'échiquier suivant. En quelques minutes, il mit échec et mat ses huit adversaires et remporta un pari de vingt-cinq *cents* pour sa victoire. Tandis que les joueurs écœurés s'éloignaient, le vieillard, qui s'appelait Mose Moss, criait à la cantonade :

« A qui le tour ? Qui se prend pour un grand joueur d'échecs ? Je suis prêt à battre n'importe quel adversaire, deux adversaires, *dix* adversaires. »

Pivotant sur ses talons, il me regarda.

« Qu'est-ce que tu attends ici ? » hurla-t-il. « Non mais, tu te prends pour qui ? T'en as, ou pas ? Assieds-toi et cramponne-toi, champion de mes deux. Je vais te flanquer une raclée dont tu te souviendras ! »

Je me détournai.

« Ça m'étonne pas ! » ricana-t-il. « P'tit trouillard à la gomme ! Dès que je t'ai vu, j'ai su que t'étais un minus ! »

Un autre groupe de joueurs d'échecs s'était maintenant installé autour de la longue table. Ils étaient sept. Je n'avais pas joué aux échecs depuis deux ans, mais je me débrouillais bien dans le Colorado, j'avais même gagné un tournoi au club d'échecs. Je savais que je pouvais tenir le coup devant cette vieille crapule forte en gueule, mais j'ignorais si je résisterais à ses attaques scatologiques. Il m'assena une grande claque dans le dos.

« Assieds-toi, fiston. Viens prendre une leçon d'échecs. »

Cela me décida. Je sortis vingt-cinq *cents* de ma poche, fis claquer la pièce sur la table et m'assis.

Il me battit, ainsi que les autres, en dix coups. Les vaincus quittèrent la table pendant qu'il ramassait la monnaie et la faisait sonner dans sa poche.

« Déjà fini ? » s'écria-t-il. « Aurais-je encore gagné ? »

Je sortis une autre pièce, mais les autres joueurs avaient leur compte. Mose Moss s'assit en face de moi et nous commençâmes à jouer. Il alluma une cigarette.

« Qui t'a appris à jouer, petit ? Ta mère ? »

« A toi de jouer », dis-je. « Fils de pute ! »

« A la bonne heure ! Maintenant, on dirait un vrai joueur d'échecs », dit-il en avançant un pion. Il me battit en douze coups. Je sortis une autre pièce de vingt-cinq *cents*. Une fois encore, il me battit rapidement, sans bavure. Je n'avais aucun moyen de battre ce vieux bonhomme. Alors il commença de s'amuser avec moi. C'était cruel. C'était brutal. C'était sadique. Il me proposa de jouer une partie sans sa reine, et je perdis. Ensuite, il joua sans sa reine, sans ses cavaliers et ses fous, et je perdis encore. Pour finir il se contenta de jouer avec ses pions. Une véritable foule s'était massée autour de nous qui hurlait de rire chaque fois que ses pions décimaient mes pièces. Il réussit un autre échec et mat. Il me restait une pièce de vingt-cinq *cents*. Je la mis sur la table. Mose Moss se frotta les mains, prit un air triomphant et sourit benoîtement.

« Je vais te dire ce que tu vas faire maintenant, fiston. Je vais te laisser gagner. Tu vas me mettre échec et mat. »

Le public applaudit, se rapprocha encore de nous. Il y avait une bonne quarantaine de personnes. Il eut besoin d'une vingtaine de coups avant d'en finir avec moi, disposant ses pièces pour que je ne puisse pas éviter de le mettre échec et mat. J'étais épuisé, frustré, fou de rage. J'avais mal à l'estomac, mes yeux me brûlaient.

« J'en ai assez, Mose », dis-je. « C'était ma dernière pièce. »

« Tu me fais bonne impression, fiston », dit-il. « On dirait que tu es honnête. Tu es un sacré crétin, mais tu as l'air honnête. »

L'esprit engourdi, je commençai à jouer, trop troublé pour partir, trop honteux pour me lever et m'en aller. Soudain, il y eut un mouvement de foule. Les spectateurs disparurent comme par magie. La police entrait dans la danse. Les flics alpaguèrent deux ou trois personnes ; et me jetèrent avec Mose dans le panier à salade. Six d'entre nous furent transportés à la prison de la ville ; le sergent qui nous fit passer devant son bureau nous accusa de vagabondage. Après l'enregistrement, on nous emmena dans le secteur des poivrots. Je suivais Mose comme son ombre, car il semblait bien connaître la procédure. Nous nous assîmes sur un banc et je demandai à Mose ce qui nous attendait.

« Dix dollars ou cinq jours de taule », dit-il. « Qu'ils aillent se faire voir. Jouons aux échecs. »

Horrifié, je le vis sortir de sa poche arrière un jeu d'échecs miniature ; quand les pièces furent en place, nous commençâmes à jouer. Il était infatigable. Mes yeux se fermaient ; je m'endormais, le menton contre la poitrine. Il me réveillait et je déplaçais une pièce. Nous jouions maintenant pour des sommes astronomiques. Je lui devais quinze mille dollars. Nous doublâmes la mise. Je perdis de nouveau, et alors que Mose tendait le bras pour me secouer, je tombai du banc et m'endormis par terre. J'entendis ses derniers mots :

« Espèce de crapule, tu me dois trente mille dollars. »

« Mets ça sur mon ardoise », je lui dis.

Je dormais. J'entendais vaguement les bruits de la nuit autour de moi — les ronflements, les pets, les gémissements, les types qui vomissaient ou marmonnaient dans leur sommeil. Il faisait froid dans cette grande cellule. L'aube grise rampa par la fenêtre. La lumière augmenta peu à peu. A six heures, le geôlier balança des coups de matraque contre les barreaux de la cellule.

« Tout le monde se prépare pour le Tribunal de l'Aube », cria-t-il. « Vous avez cinq minutes pour passer un coup de fil. »

Je suivis Mose au bas du couloir, où il y avait une salle d'attente ainsi que des téléphones muraux et payants. Je fouillai vainement mes poches à la recherche d'une pièce de dix *cents*. Rien. Devant moi, Mose parlait avec quelqu'un au téléphone. Je l'abordai quand il raccrocha.

« Prête-moi dix *cents* », lui demandai-je.

Il grimaça. « Bon Dieu fiston », dit-il. « Tu me dois déjà trente mille dollars. »

« Je te rembourserai, Mose », suppliai-je. « Jusqu'au dernier *cent*. Fais-moi confiance. »

Sa main plongea dans sa poche et en ressortit avec une poignée de pièces d'argent. « Sers-toi. »

Je pris une pièce, avançai vers le téléphone et composai le numéro de mon hôtel. Mme Brownell répondit.

« Je suis au Tribunal de l'Aube », lui dis-je. « Pouvez-vous payer ma caution ? C'est dix dollars. »

Il y eut un silence. « Vous avez des ennuis ? »

« Non, mais je suis sans un. »

« J'arrive tout de suite. »

Elle raccrocha.

Elle était dans la salle d'audience quand on fit entrer les prisonniers. On appela mon nom et je m'approchai du banc des accusés. Le juge ne me vit même pas, ne leva même pas les yeux vers moi.

« Vous êtes accusé de vagabondage. C'est dix dollars ou cinq jours de prison. Que plaidez-vous ? »

« Coupable », répondis-je.

« Payez la caution », dit-il. « Suivant. »

Comme je m'approchais du bureau de l'huissier, Mme Brownell se leva et vint à mes côtés. Elle ouvrit son porte-monnaie et donna à l'huissier un billet de dix dollars. Je me penchai au-dessus du bureau et signai un reçu. Mme Brownell fila ensuite dans le couloir. Je dus courir pour la rattraper.

« Merci », lui dis-je. Elle fonçait devant moi vers la sortie, descendit les marches quatre à quatre, jusqu'à la rue, où sa voiture était garée. Je montai à côté d'elle, et la voiture bondit en avant quand elle enclencha la première.

« Je vous remercie pour ce que vous avez fait », dis-je.

Elle me lança un regard dépourvu d'aménité.

« Gibier de potence ! » dit-elle.

Nous n'échangeâmes pas un mot pendant qu'elle remontait Temple Street pour rejoindre Bunker Hill. Elle gara la voiture dans le terrain vague près de l'hôtel.

« Je n'ai commis aucun crime », expliquai-je. « Ils m'ont embarqué parce que je jouais aux échecs, c'est tout. »

Elle semblait morose. « Et maintenant, tu as un casier judiciaire. »

« Oh, merde », dis-je.

Nous descendîmes de voiture et marchâmes

jusqu'à l'hôtel. Elle m'emmena directement à sa chambre. Elle entra dans la salle de bains et ouvrit le robinet d'eau chaude. Des nuages de vapeur envahirent le living-room.

« Tu vas prendre un bain », dit-elle. « Tu vas me faire le plaisir de te débarrasser de toute la crasse et des saletés de la prison, des poux, des puces, de la vermine et des punaises. »

Je laissai tomber mes vêtements autour de mes pieds ; elle les ramassa comme des charognes et les lança dans le panier réservé au linge sale. Je m'enfonçai jusqu'au cou dans l'eau chaude et savonneuse, et me laissai amollir par cette chaleur bienfaisante. Mme Brownell se pencha au-dessus de moi avec un gant et un morceau de savon de ménage. Elle frotta le savon contre le gant et entreprit de me récurer. Le gant de toilette s'enfonçait dans mes oreilles jusqu'à ce que je hurle.

« Quelle crasse », disait-elle. « Regarde-moi un peu toute cette crasse ! Tu n'as pas honte ? »

Elle abattit le gant de toilette sur mon entrejambe, et je hurlai encore.

« Sors d'ici », lui dis-je. « Laisse-moi tranquille. »

Elle me lança le gant au visage. « Gibier de potence ! » dit-elle. « Petit malfrat ! »

Elle fit demi-tour et m'abandonna à mon sort. Je me séchai, enfilai un caleçon et entrai dans la cuisine. Elle était devant la cuisinière, le dos tourné, en train de préparer mon petit déjeuner. L'expert des appendices charnus que je suis détecta aussitôt la contraction de ses fessiers — signe indubitable de fureur chez une femme. L'expérience m'a appris à me montrer extrêmement prudent en présence d'une métamorphose aussi spectaculaire des fessiers féminins, si bien que je m'assis sans moufter. J'avais l'impression d'affronter un serpent lové sur lui-même. Elle apporta des œufs au jambon sur la table et posa brutalement l'assiette devant moi. Alors le téléphone sonna. Je l'entendis répondre.

« Pour toi », dit-elle.

Je saisis le récepteur. L'homme qui voulait me parler était Harry Schindler, le metteur en scène de cinéma. C'était un vieil ami de H.L. Muller. Il avait eu mon adresse par Muller et voulait me faire une proposition.

« A quel sujet ? »

« Avez-vous déjà écrit des scénarios de cinéma ? »

« Non. »

« Parfait », rétorqua Schindler. « Vous avez besoin de boulot ? »

« Quel genre de boulot ? »

« Ecrire un scénario. »

« Je n'y connais rien. »

« C'est sans importance », dit Schindler. « Je vous apprendrai. Retrouvez-moi aux studios de la Columbia demain matin à dix heures. »

Je retournai dans le living-room de Mme Brownell et m'assis. Elle avait manifestement écouté ma conversation téléphonique.

« Je vais peut-être travailler dans le cinéma. »

« Au moins tu seras propre », dit-elle.

Je remarquai son derrière. Les fessiers étaient toujours contractés. J'avalai rapidement mon petit déjeuner et retournai à ma chambre.

CHAPITRE SIX

Le lendemain matin, Mme Brownell m'indiqua l'itinéraire et je pris le bus de Sunset jusqu'à Gower Avenue. Les studios se trouvaient à un demi-bloc de là. Je pris l'ascenseur jusqu'au quatrième étage et trouvai le bureau de Schindler. Sa secrétaire était assise à son bureau et lisait un roman. Elle était blonde et avait adopté une coiffure sévère : les cheveux remontés en chignon sur la nuque. Elle avait des sourcils dorés et des yeux de pure topaze, des yeux hostiles, sans la moindre trace de chaleur ni d'amitié.

« Oui ? » dit-elle.

Je lui annonçai mon nom. Elle se leva et se dirigea vers la porte du bureau de Schindler. Elle portait une robe de velours vert. Mes yeux descendirent instantanément vers son cul sensationnel, véritable perfection hollywoodienne. Elle se déplaçait comme un serpent, un gros serpent, un boa constrictor luxurieux. J'étais aux anges. Elle frappa à la porte de Schindler et l'ouvrit.

« M. Bandini », annonça-t-elle.

Schindler se leva de son bureau et me serra la main.

« Asseyez-vous », dit-il. « Et prenez vos aises. »

C'était un petit homme trapu aux cheveux

coupés en brosse. Il mâchouillait un cigare éteint.

« J'ai lu toutes vos nouvelles publiées », me dit-il. « Vous avez un sacré talent, mon petit. Vous êtes exactement le type qu'il me faut. H.L. Muller me l'avait bien dit ! » lança-t-il en riant. « Nous sommes de vieux amis, H.L. Muller et moi. Nous avons travaillé ensemble au *Baltimore Sun*. Je le connais depuis vingt ans. »

« Je vous ai déjà dit que je n'ai jamais écrit quoi que ce soit pour le cinéma. N'attendez pas trop de moi. »

« Laissez-moi m'occuper de ça », dit Schindler.

« Sur quoi voulez-vous me faire travailler ? »

« Rien, pour l'instant. Commencez par faire connaissance avec la maison. Acclimatez-vous. Orientez-vous. Lisez quelques-uns de mes scénarios, regardez mes films. Rencontrez les autres scénaristes qui travaillent sur ce palier — Benchley, Ben Hecht, Dalton Trumbo, Nat West. Tu seras en bonne compagnie, fiston. »

« Sinclair Lewis travaille-t-il ici ? » demandai-je.

« J'aimerais bien. Pourquoi me demandes-tu ça ? Tu le connais ? »

« Lewis est l'écrivain américain que je préfère. »

« Et un bon ami de H.L. Muller », ajouta Schindler en souriant. Il enfonça une touche de l'interphone et sa secrétaire arriva.

« Installez M. Bandini dans l'autre bureau », lui dit Schindler. « Faites-lui visionner quelques-uns de mes films, et donnez-lui mes scénarios. »

Nous nous serrâmes la main.

« Bonne chance, Bandini. Nous allons faire de grandes choses ensemble. »

« J'espère. »

Je me retournai pour partir.

« Au fait, dit-il, je crois que vous ne vous connaissez pas ? »

Je lui dis que non, la fille ne dit rien.

« Arturo, dit Schindler, je te présente ta secrétaire, Thelma Farber. »

« Enchanté », lui dis-je en souriant.

Je ne le jurerais pas, mais je crus voir sa lèvre s'ourler. Elle fit demi-tour, sortit, et je suivis les ondulations du boa constrictor en robe de velours vert. Nous traversâmes la réception jusqu'à un bureau mitoyen. Je jetai un coup d'œil circulaire. Une table, deux chaises, un divan, une machine à écrire, et quelques étagères vides.

« Parfait » dis-je. « Et que suis-je censé faire maintenant ? »

« Installez-vous », dit-elle. Elle sortit rapidement et ferma la porte derrière elle. Perplexe, je m'interrogeai sur son cas. Puis j'ouvris la porte. Assise à son bureau, elle lisait son roman.

« Hé ? » lui dis-je. Elle leva les yeux. « Etes-vous aussi aimable avec tout le monde ? »

Elle m'adressa un doux sourire. « Certainement pas. »

CHAPITRE SEPT

Mon recrutement par Harry Schindler était un mystère insondable. Je passais mes journées à lire ses scénarios, une douzaine de scénarios, un par jour. Aucun ne m'emballait. Il s'était spécialisé dans les films de gangsters et il suffisait d'un minimum d'attention pour découvrir que tous ses scénarios étaient fondamentalement identiques — même intrigue, mêmes personnages, même morale. Je les lus et n'eus pas envie de les relire.

Je quittais parfois mon bureau pour me promener dans les couloirs. Sur chaque porte, je lisais le nom d'un écrivain célèbre — Ben Hecht, Tess Slessinger, Dalton Trumbo, Nat West, Horace McCoy, Abem Candel, Frank Edgington. Parfois, je voyais l'un de ces écrivains entrer ou sortir de son bureau. Je les trouvais tous interchangeables. Je ne les connaissais pas et ils ne me connaissaient pas. Un jour, à l'heure du déjeuner, je montai à la salle à manger privée où se réunissait la crème des scénaristes et des metteurs en scène. Je m'assis à une longue table et me retrouvai entre John Garfield et Rowland Brown, le metteur en scène. Pour briser la glace, je dis à Garfield : « Passez-moi le sel, s'il vous plaît. »

Il me le donna sans un mot. Me tournant vers

Brown, je lui demandai : « Ça fait longtemps que vous travaillez ici ? »

« Seigneur, oui », s'écria-t-il, et ce fut tout. Je réfléchis que ce n'était pas de leur faute. J'étais le coupable, le raté, le timide manquant de confiance en soi. Je ne suis jamais remonté là-haut.

Un autre jour, j'arpentais le couloir du quatrième étage quand je vis un homme assis derrière une machine à écrire dans le bureau de Frank Edgington. C'était un grand Anglais qui fumait la pipe.

« Etes-vous Frank Edgington ? » lui demandai-je.

« Oui, c'est moi. »

Je m'avançai vers lui et tendis ma main au-dessus du bureau.

« Je m'appelle Arturo Bandini. Je suis scénariste, moi aussi. Je travaille pour Harry Schindler. »

« Bienvenue à l'asile de fous », dit Edgington.

« Sur quoi travaillez-vous ? » lui demandai-je.

« Une connerie. Savez-vous jouer au mikado ? »

« Bien sûr », dis-je.

« On fait une partie ? »

« D'accord. »

D'un tiroir de son bureau, il sortit une boîte de baguettes, et nous commençâmes à jouer. Les grosses mains osseuses d'Edgington convenaient mal à ce jeu tout en doigté et délicatesse, mais je n'étais pas meilleur que lui. Nous passâmes l'après-midi à jouer au mikado, histoire de tuer le temps. Edgington était un écrivain de la côte Est. Il avait publié dans le *New Yorker* et dans *Scribner's*. Il détestait Hollywood, il travaillait dans le cinéma depuis cinq ans et haïssait ce métier.

« Pourquoi ne partez-vous pas d'ici ? » lui demandai-je. « Si vous en avez par-dessus la tête, pourquoi ne pas retourner à New York ? »

« A cause de l'argent. J'adore l'argent. »

Nous descendîmes au drugstore pour commander des cocas.

« Vous êtes marié, Edgington ? »

« J'ai été marié trois fois », dit-il.

« Vous devez beaucoup aimer les femmes. »

« Plus maintenant. Et vous, vous êtes marié ? »

« Non. »

« Vous êtes un malin. Remontons jouer. »

Nous retournâmes à son bureau, pour jouer au mikado jusqu'à cinq heures de l'après-midi.

« Allons dîner quelque part, dit-il, je vous invite. »

Edgington conduisait une longue Cadillac noire. Il m'emmena chez Musso-Frank. Il connaissait beaucoup de gens, surtout des écrivains. Nous bûmes comme des trous ; Edgington descendait du scotch, moi du vin. Après le dîner, nous avons encore picolé pendant deux heures, si bien que nous étions fin soûls. Ses yeux gris ne parvenaient plus à me fixer.

« Allons baiser », proposa-t-il.

« Non, j'ai pas envie. »

Brusquement il se mit en colère et abattit son poing sur la table.

« Tout le monde a besoin de baiser », cria-t-il en se tournant vers les gens assis aux tables voisines. « Allons tous baiser ! » ajouta-t-il.

Trois garçons entourèrent soudain notre

table, nous firent sortir par une porte dérobée avant de nous jeter dans le parking. Edgington s'écroula pesamment sur une dalle de ciment ; je m'assis à côté de lui et allumai une cigarette. Son visage grimaçait de haine.

« Dieu que je déteste cette ville », grommela-t-il. « Partons d'ici. Allons à New York. »

« Je ne veux pas aller à New York, Frank. Ramène-moi à mon hôtel. »

Il réussit à se mettre debout et tituba vers la voiture. J'appréhendais la suite.

« Es-tu assez lucide pour conduire ? »

« Monte », dit-il. « Fais-moi confiance. »

Il s'assit derrière le volant, je contournai la voiture jusqu'à l'autre porte et m'installai à côté de lui. Il s'effondra lentement, puis son visage s'appuya contre le volant. Je l'observai un moment. Il se mit à ronfler. Il dormait à poings fermés. Je décidai de le laisser là, descendis silencieusement de la Cadillac, marchai jusqu'à Hollywood Boulevard et rentrai en taxi à Bunker Hill.

Frank Edgington et moi devînmes potes. Il aimait les endroits louches d'Hollywood, les bars, les rues crasseuses qui donnaient dans Hollywood Boulevard. J'étais heureux de l'accompagner dans sa tournée des saloons d'El Centro, de McCadden Place, de Wilcox et de Las Palmas. Nous buvions de la bière, jouions au flipper. Edgington était un fou du flipper, un mordu infatigable, qui buvait de la bière et cherchait la partie gratuite. Nous allions parfois au cinéma. Il connaissait tous les bons restaurants, nous mangions et buvions comme des princes. Le week-end, nous nous baladions dans la région de Los Angeles, les déserts environnants, les collines, les petites villes voisines, le port. Un samedi nous allâmes en voiture à Terminal Island, un banc de sable blanc dans le port. Près des conserveries, nous vîmes les maisons de plage déglinguées où habitaient les Philippins et les Japonais. C'était un endroit merveilleux, solitaire, décrépit, pittoresque. Je m'imaginais avec ma machine à écrire dans une de ces cabanes. J'avais envie de travailler là, d'écrire dans ce coin paumé, oublié de tout le monde, où le sable recouvrait à moitié la rue, où les clôtures et les portails de guingois grinçaient dans le vent. Je dis à Frank que je voulais vivre là, habiter là.

« Tu es cinglé », me dit-il. « Ce sont des taudis. »

« C'est magnifique », rétorquai-je. « Ça me réchauffe le cœur. »

Au studio, nous sacrifiâmes à une autre des obsessions de Frank Edgington — les jeux pour enfants. Nous jouâmes aux osselets, au menteur, au jaquet et aux échecs chinois. Nous jouions de petites sommes — cinq *cents* la partie. Quand il était seul, Frank travaillait sur une nouvelle pour le *New Yorker*. Quand j'étais seul, je m'asseyais dans mon bureau et me languissais pour Thelma Farber. Elle était inexpugnable. Parfois, elle ne me disait même pas bonjour, et je me retrouvais écrasé sur ma chaise, pantelant. Harry Schindler me demanda de voir ses anciens films ; Thelma et moi allions dans la salle de projection pour les visionner. Quand j'essayais de m'asseoir à côté d'elle, elle mettait aussitôt deux fauteuils entre nous. C'était une salope à l'hostilité incompréhensible. Elle me traînait dans la boue, me faisait subir mille avanies.

Au bout de deux semaines, je ramassai mon premier chèque, six cents dollars. C'était une somme ahurissante. J'étais payé trois cents dollars par semaine à me tourner les pouces ! Je frappai à la porte de Schindler et le remerciai pour le chèque.

« C'est parfait », dit-il. « Nous tenons à ce que vous soyez heureux. Tout est là. »

« Mais je ne fais strictement rien. Je deviens fou. Donnez-moi quelque chose à écrire. »

« Vous vous en tirez très bien. Je vous réserve pour les urgences. Je dois pouvoir compter sur quelqu'un de bien en cas de pépin. Un type talentueux. Ne vous inquiétez pas. Vous faites un boulot formidable. Continuez dans cette voie. Encaissez votre chèque et payez-vous du bon temps. »

« Laissez-moi vous écrire un western. »

« Pas encore », dit Schindler. « Continuez de faire ce que vous faites et laissez-moi m'occuper du reste. »

Brusquement, j'étouffai. J'eus envie de pleurer. Je sortis du bureau de Schindler, passai à côté de Thelma et retournai dans mon bureau. Je m'écroulai sur ma chaise, pleurant à chaudes larmes. Je ne voulais pas de charité. Je voulais exercer mon talent noir sur blanc, tourner des phrases inoubliables, concocter des scénarios géniaux pour que Schindler comprenne à qui il avait affaire. Refoulant mes sanglots, je me précipitai au bout du couloir dans le bureau d'Edgington, et m'effondrai dans un fauteuil.

« Nom de Dieu, que se passe-t-il ? » me demanda-t-il.

Je lui racontai mes malheurs. « Ils refusent de me laisser écrire. Schindler n'a pas de boulot pour moi. Je deviens fou. »

Furieux, Edgington lança son crayon à l'autre bout de la pièce.

« Tu es plutôt gonflé de te plaindre. Dans ce studio, il y a des écrivains qui passent des mois sans écrire une seule ligne. Ils gagnent dix fois plus d'argent que toi, et ils rigolent en allant à la banque. Le problème avec toi, c'est que tu es un sacré cul terreux. S'il y a tellement de choses qui te déplaisent dans cette ville, arrête de faire chier le monde et retourne dans ton bled de ploucs. Tu me casses les couilles, t'entends ? »

Je le regardai avec gratitude. Puis je me mis à rire.

« Frank, dis-je, tu es un type formidable. »

« Va et ne pèche plus. »

Je descendis dans Gower Street, remontai vers Sunset, puis traversai Sunset jusqu'à la Bank of America, où j'encaissai mon chèque. En sortant de la banque, je ressentis une joie amère. Sur Sunset, à un demi-bloc de là, se trouvait un magasin de voitures d'occasion. J'achetai une Plymouth pour trois cents dollars, et démarrai. J'étais un homme neuf, un brillant scénariste d'Hollywood qui n'avait pas encore écrit une seule ligne. Mon avenir était radieux.

CHAPITRE HUIT

Quelques jours plus tard, Edgington m'invita à dîner. « Le meilleur restaurant de la ville », dit-il. Nous laissâmes ma voiture au parking des studios pour prendre la Cadillac de Frank. Il remonta Beverly Boulevard jusqu'à Doheny et entra dans le parking d'un restaurant voisin. Il s'appelait Chasen's. Avant de descendre de voiture, Frank arrangea mon nœud de cravate.

« Nous n'allons pas dans un boui-boui », me dit-il. « Je ne voudrais pas avoir honte de ta présence. »

Nous entrâmes. Il y avait un petit bar extérieur, puis, derrière, le restaurant proprement dit. Nous montâmes sur des tabourets pour commander l'apéritif. Comme d'habitude, Frank connaissait tout le monde. Il serra la main de Dave Chasen et me présenta.

« Heureux de vous connaître », me dit Chasen avec un sourire, il se détourna rapidement pour accueillir un homme et deux femmes qui arrivaient de la rue. Ils restèrent un moment debout à bavarder.

Frank me donna un coup de coude. « Devine qui c'est ? » me dit-il.

Je me retournai pour regarder l'homme et ses deux compagnes.

« Qui est-ce ? » chuchotai-je, tandis que le

trio passait à côté de nous pour entrer dans la salle de restaurant.

« Sinclair Lewis », dit Frank.

Stupéfait, je toussai dans mon verre.

« Tu es sûr ? » demandai-je.

« Bien sûr que je suis sûr. » Il fit signe à Chasen de nous rejoindre. « Qui était le type avec ces deux femmes ? » lui demanda-t-il.

« Sinclair Lewis », répondit Chasen.

« Seigneur tout-puissant ! » m'écriai-je. « Le plus grand écrivain d'Amérique ! »

Je bondis de mon tabouret et traversai le bar jusqu'au rideau qui masquait la salle de restaurant. Tirant le rideau, je vis un serveur qui conduisait Lewis et ses amies dans un compartiment privé.

Impossible de me retenir. Je me frayai aussitôt un chemin entre les tables, me précipitant vers le plus grand écrivain d'Amérique. Une impulsion aveugle, démente. Soudain, j'arrivai devant le compartiment de Lewis. Absorbé par sa conversation avec les deux femmes, il ne me vit pas. J'adressai un sourire à ses cheveux roux clairsemés, aux taches de rousseur de son visage, à ses longues mains délicates.

« Sinclair Lewis », dis-je.

L'écrivain et ses amies levèrent les yeux vers moi.

« Vous êtes le plus grand romancier que ce pays ait jamais produit », bafouillai-je. « Je veux simplement vous serrer la main. Je m'appelle Arturo Bandini. J'écris pour H.L. Muller, votre meilleur ami. » Je lançai ma main vers lui. « Je suis très heureux de vous connaître, M. Lewis. »

Ses yeux bleus et froids m'adressèrent un regard ébahi. Ma main restait figée au-dessus de la table, entre nous. Il ne la saisit pas. Il se contenta de me dévisager, les femmes faisaient de même. Lentement je retirai ma main.

« Content de vous connaître, M. Lewis. Excusez-moi de vous avoir dérangé. »

Horrifié, lessivé, je fis demi-tour et me hâtai de passer entre les tables, de retourner au bar et de retrouver Frank Edgington. Je me sentais furieux, écœuré, mortifié, humilié. Je volai le scotch de Frank et le descendis d'un coup. Le barman et Frank se regardaient.

« Donnez-moi un crayon et du papier, s'il vous plaît. »

Le barman posa un calepin et un crayon devant moi. D'une main tremblante, le souffle court, j'écrivis :

Cher Sinclair Lewis,

Vous étiez un dieu pour moi, mais maintenant vous êtes un porc. Autrefois, je vous admirais, je vous adulais, maintenant vous ne m'êtes plus rien. Je suis venu serrer la main de mon idole, la vôtre, Lewis, le géant de la littérature américaine, et vous avez refusé ma main tendue. Je jure de ne plus jamais lire une seule ligne de vos œuvres. Vous êtes un rustre mal élevé. Vous m'avez trahi. Je parlerai de vous à H.L. Muller, je lui dirai combien vous m'avez humilié. Je le dirai au monde entier.

Arturo Bandini.

PS : J'espère que vous vous étoufferez en mangeant votre steak.

Je pliai ma lettre et fis signe à un serveur. Il s'approcha et je lui tendis la feuille.

« Voudriez-vous transmettre ce mot à Sinclair Lewis ? »

Il le prit et je lui donnai un peu d'argent. Il entra dans la salle de restaurant. Debout derrière le rideau, je le regardais approcher de la table de Lewis. Il donna mon billet à Lewis. Lewis le déplia, le tint quelques instants devant lui, puis bondit sur ses pieds, regarda autour de lui et rappela le serveur. Il sortit de son compartiment privé, et le serveur tendit la main dans ma direction. Sa serviette à la main, Lewis avançait à grands pas vers le rideau.

Je filai comme une flèche vers la sortie, traversai le parking en courant jusqu'à la Cadillac de Frank, et sautai sur la banquette arrière. Je voyais toute la rue par la fenêtre ; au bout d'un moment, Lewis sortit d'un pas nerveux sur le trottoir, tenant toujours sa serviette. Il regardait partout, il semblait agité.

« Bandini », cria-t-il. « Où êtes-vous ? Je suis Sinclair Lewis. Où êtes-vous, Bandini ? »

Je restai immobile. Quelques secondes plus tard, il rentra dans le restaurant. Je m'écroulai sur la banquette, épuisé, stupéfait, incapable de comprendre ce que j'avais fait. Je restais là, plein de doutes, de honte, de tourment et de regrets. J'allumai une cigarette et la fumai voracement. Ensuite, Frank Edgington sortit du restaurant et s'approcha de la voiture. Il se pencha par la fenêtre et m'aperçut.

« Ça va ? »

« Ça va », dis-je.

« Que s'est-il passé ? »

« J'en sais rien. »
« Qu'est-ce que c'était que ce billet ? »
« J'en sais rien. »
« Tu es cinglé. Tu veux manger ? »
« Pas ici. Allons ailleurs. »
« Comme tu veux. »
Il se mit au volant et démarra.

CHAPITRE NEUF

Je suis né dans un appartement au sous-sol d'une usine de macaronis de Denver Nord. Quand mon père apprit que son troisième enfant était aussi un fils, il réagit comme à la naissance de mes deux frères aînés — il se soûla pendant trois jours. Ma mère le découvrit dans l'arrière-salle d'un saloon au bout de la rue et le ramena de force à la maison. Hormis ce jour, mon père accorda peu d'attention à mon existence.

Un jour de ma petite enfance, dans la maison de ma tante, je me mis à la fenêtre de la salle de bains et vis ma cousine Catherine qui coiffait ses longs cheveux roux devant le miroir de la commode. Elle portait en tout et pour tout les chaussures à hauts talons de ma mère, c'était une petite femme de huit ans, mais parfaitement formée. Je n'ai pas compris l'extase qui bouillonna en moi, la confusion où me plongea la beauté électrique de ma cousine. Je restais là et me masturbais. J'avais cinq ans, le monde prit une nouvelle dimension bouleversante.

J'étais aussi un criminel. Je me pris pour un criminel, un morveux insupportable au visage couvert de taches de rousseur; cela dura pendant quatre ans, jusqu'au jour où, incapable de supporter davantage mon martyre, je me traînai pour la première fois dans un confessionnal et racontai au prêtre la vérité de ma vie bestiale. Il me donna l'absolution, je rejetai le fardeau de ma croix, et ce fut l'esprit de nouveau libre que je ressortis au grand soleil.

Quand j'eus sept ans, ma famille déménagea pour s'installer à Boulder ; j'allais à l'école du Sacré-Cœur avec mes deux frères. Au cours des huit années qui suivirent, j'eus des résultats remarquables en baseball, basketball et football ; autrement dit, je ne m'embarrassai ni de livres ni d'études studieuses.

Mon père, entrepreneur du bâtiment, connut une période faste à Boulder et m'envoya dans une école de Jésuites. J'y fus le plus souvent malheureux. J'avais de bonnes notes, mais étais réfractaire à la discipline. Je haïssais la pension, je regrettais la maison, mais vu mes bons résultats, j'entrai à l'Université du Colorado. Pendant ma deuxième année à l'Université, je tombai amoureux d'une fille qui travaillait dans un magasin de vêtements. Elle s'appelait Agnes, je voulais l'épouser. Elle déménagea à North Platte, dans le Nebraska, où elle avait trouvé un travail plus intéressant, et je plaquai l'Université pour la retrouver. J'allai en auto-stop de Boulder à North Platte. Crasseux, fauché et triomphant, je me présentai à la pension de famille où habitait Agnes. Nous nous assîmes sur la balançoire du jardin. Apparemment, elle n'était pas ravie de me voir.

« Je ne veux pas me marier avec toi », dit-elle. « Je ne veux plus te revoir. C'est pour ça que je suis venue ici, pour m'éloigner de toi. »

« Je trouverai du travail », insistai-je. « Nous allons fonder un foyer. »

« Bon Dieu de bonsoir ! »

« Tu ne veux pas de famille ? Tu n'aimes pas les enfants ? »

Elle se leva rapidement. « Rentre chez toi, Arturo. Je t'en prie, rentre chez toi. Ne pense plus à moi. Retourne à la fac. Apprends quelque chose. » Elle pleurait.

« Je sais poser des briques », dis-je en me rapprochant d'elle. Elle se jeta à mon cou, déposa un baiser humide sur ma joue, puis me repoussa.

« Retourne chez toi, Arturo. S'il te plaît. » Elle rentra dans la pension et ferma la porte.

Je descendis jusqu'aux voies de chemin de fer et sautai dans un train de marchandises à destination de Denver. De là, je pris un autre train jusqu'à Boulder et la maison familiale. Le lendemain, je me présentai sur le chantier où mon père posait des briques.

« Je veux te parler », lui dis-je.

Il descendit de l'échafaudage et me rejoignit sur une pile de bois de construction.

« Qu'y a-t-il ? » me demanda-t-il.

« Je plaque la fac. »

« Pourquoi ? »

« Je suis pas fait pour ça. »

L'amertume le fit grimacer. « Et que comptes-tu faire maintenant ? »

« Je ne sais pas. J'y ai pas encore réfléchi. »

« Bon Dieu, tu es cinglé. »

Je devins un clochard dans ma propre ville. Je battais le pavé. Je trouvai un boulot d'arracheur de mauvaises herbes, mais c'était trop dur et je le plaquai. Un autre boulot de laveur de carreaux. Que je ne supportai pas davantage. Je cherchais du travail dans tout Boulder, mais les rues étaient pleines de jeunes chômeurs. Le seul boulot disponible dans toute la ville était celui de vendeur de journaux. On était payé cinquante *cents* par jour. Très peu pour moi. Je restais appuyé contre les murs des salles de billard. J'évitais de rentrer à la maison. J'avais honte de manger la nourriture que mon père payait, que ma mère préparait. J'attendais toujours que mon père fût sorti. Ma mère essayait de me remonter le moral. Elle me faisait des tartes à la viande et des ravioli.

« Ne te ronge pas le sang », disait-elle. « Prends ton mal en patience. Il va se passer quelque chose. Je ne prie pas pour rien. »

Je fréquentais la bibliothèque. Je regardais les revues, les photos qu'elles contenaient. Un jour où j'errais devant les rayons, je sortis un livre intitulé *Winesburg, Ohio*. Je m'assis à une longue table d'acajou et me mis à lire. Mon univers bascula aussitôt. Le temps s'évanouit. Le livre me tenait. Les larmes envahirent mes yeux. Mon cœur se mit à battre la chamade. Je lus jusqu'à ce que mes yeux demandent grâce. J'emmenai le livre à la maison. Je lus un autre livre d'Anderson. Je dévorai toute son œuvre, j'étais malade, seul et amoureux d'un livre, de nombreux livres, alors cela vint naturellement, je m'assis avec un crayon et du papier et essayai d'écrire, mais je sentis bientôt que je ne pouvais plus continuer, les mots ne coulaient pas aussi facilement que dans les livres d'Anderson, ils sortaient simplement de mon cœur comme des gouttes de sang.

CHAPITRE DIX

Pas une semaine ne passait sans que je ne reçoive une lettre de ma mère. Ecrites sur du papier quadrillé d'écolier, elles reflétaient ses peurs, ses espoirs, ses angoisses et sa curieuse conception de ce qui se passait dans le monde. Elles m'ennuyaient ces lettres. Les expressions de ma mère flottaient dans mon esprit comme des oiseaux en cage qui se mettaient à voleter aux moments les plus inattendus. Parfois elles me faisaient rire, parfois elles me mettaient en rage et je prenais alors en pitié ma pauvre mère innocente :

Fais bien attention, Arturo. Dis tes prières. Souviens-toi qu'un Je Vous Salue Marie Pleine de Grâce te permettra de surmonter tous tes problèmes. Et surtout porte ton scapulaire. Il a été béni par le Père Agatha, un très saint homme. Grâce à Dieu, chacun de vous a le sien...

Joe Santucci, mon copain d'école et voisin venait de terminer un tour de service dans la Navy et était maintenant de retour à Boulder. Ma mère m'écrivit :

Pauvre Mme Santucci... Son garçon est de retour après trois années d'absence, et il est communiste. Elle m'a demandé de prier pour lui. Un si gentil garçon. Je lui ai parlé ce matin, je ne parviens pas à croire qu'il est communiste. Je trouve qu'il n'a absolument pas changé...

S'il te plaît, envoie-nous de l'argent dès que tu pourras. Nous avons une ardoise de trois cent quatre-vingt-dix dollars chez l'épicier. Je suis obligée de payer en liquide, mais je n'ai pas assez de sous et ton père n'a pas travaillé depuis deux semaines...

Tu me manques tout le temps. J'ai trouvé une de tes paires de chaussettes avec des trous dedans, je les ai raccommodées et j'ai fondu en larmes. Dis bien tes prières. Ce matin, je suis allée à la messe et j'ai communié en priant pour que la chance te sourit...

Joe Santucci a parlé de Los Angeles à Papa. Il dit qu'il y a des mauvaises femmes partout et que les bars pullulent dans les rues. Porte bien ton scapulaire, il te protégera. Va à la messe, essaie de rencontrer de gentilles filles catholiques...

Je suis contente que tu travailles dans un restaurant, et que tu fasses cet autre travail avec un écrivain. Envoie-moi de l'argent dès que tu pourras. Ton père s'est blessé à la main et ne peut pas travailler pour l'instant. Tu nous manques. Tâche de dire une neuvaine. Personne n'a jamais récité une neuvaine sans en tirer un bénéfice immédiat...

Je lui envoyai deux cents dollars sur ma première paie des studios et finis par régler l'ardoise de l'épicier.

CHAPITRE ONZE

Mme Brownell et moi traversions une sorte de crise. Elle avait des doutes à propos de mon travail dans les studios et prenait grand soin de ne pas m'interroger à ce sujet. Ensemble, nous restions silencieux pendant de longs moments et avions beaucoup de mal à parler. Assis devant la radio, nous écoutions Jack Benny, Bob Hope ou Fred Allen jusqu'à ce qu'il soit l'heure d'aller se coucher. Nous restions allongés dans le noir, fixant le plafond en attendant le sommeil. Je me sentais loin d'elle, coupé d'elle par un malaise grandissant. Le matin, elle était froide et silencieuse ; le fossé se creusait. Une séparation, une cassure était inévitable, je le sentais. J'essayais de me convaincre que je m'en moquais. Je travaillais, j'avais de l'argent. Je n'étais pas obligé de rester dans cet hôtel pouilleux. Maintenant, je pouvais m'installer à Hollywood, dans les collines d'Hollywood. Je pouvais louer ma propre maison et peut-être même engager une femme de chambre. Je n'étais pas condamné à Bunker Hill. Et puis un homme a besoin de mouvement.

Penser à elle me déprimait. Dans mon bureau, je me tortillais sur ma chaise en songeant à son âge — elle avait cinq ans de plus que ma propre mère ; cela me donnait des nausées, des quintes de toux. Je pensais à son visage, aux pattes d'oie autour de ses yeux, aux gros ligaments de son cou, à la peau fripée de ses bras, à ses genoux cagneux qui craquaient quand elle s'asseyait, à ses joues creuses quand elle enlevait son dentier, à ses pieds froids, à ses manières vieux jeu du Kansas. Je n'avais pas besoin de tout ça, me dis-je. Il me suffirait de lui tourner le dos pour que tout ça disparaisse. Je pouvais avoir n'importe quelle fille de L.A., n'importe quelle starlette, peut-être même une star. Suffisait que je pose ma candidature. J'avais tort de gâcher mes meilleures années avec une vieille peau qui me récompensait seulement de ses bonnes pensées. J'avais besoin d'une créature adorable et lumineuse, férue d'art et de littérature, d'une fée aimant Keats, Rupert Brooke et Ernest Dowson. Pas d'une femme qui trouvait son inspiration littéraire dans le canard de son Kansas natal. Elle bénéficiait de mon amitié, certes ; elle avait été bonne pour moi, certes ; mais moi aussi j'avais été bon avec elle. Je m'était décarcassé pour elle, je lui avais servi d'ami et de compagnon. Maintenant, le moment était venu de tourner la page.

Je soupirai en regardant les murs de mon bureau. Comme je les aimais. J'étais fait pour ça. Je n'écrivais peut-être pas une ligne, mais j'avais trouvé ma place. J'étais bien payé, mon avenir était radieux. Il fallait absolument que je me débarrasse de cette femme.

Je broyai du noir toute la matinée. J'avais toujours été ainsi : je sondais les cendres, remuais le couteau dans la plaie, me vautrais dans mon désespoir. A midi, elle téléphona, mon cœur bondit, j'étais content.

« Tu m'en veux encore ? » demanda-t-elle.

« Non. Et toi ? »

« Non », dit-elle. « Je suis désolée. Je ne sais pas ce qui m'a pris. »

« Ce n'est pas de ta faute. C'est de la mienne. Je ne sais pas pourquoi j'ai réagi comme ça. Je ne sais jamais pourquoi. C'est à toi de me pardonner. »

« Mais je te pardonne, je te pardonne. Tu es un si gentil garçon. Tu es bon pour moi. Nous ne devons pas nous disputer. »

« Plus jamais. Nous devons fêter ça. Amusons-nous. »

« D'accord. Faisons une folie. »

« Que dirais-tu d'un bon dîner pour commencer ? »

« Je porterai mon nouveau tailleur. »

« Moi aussi, j'ai un nouveau costume. »

« Mets-le. »

« Je t'aime », dis-je. « Tu es la femme la plus merveilleuse du monde. Nous allons faire la fête ce soir. »

Quand je rentrai à l'hôtel à six heures, elle n'était pas là. Il y avait un billet pour moi sur le bureau de la réception. Je reviens dans deux minutes, écrivait-elle. Je retournai à ma chambre, pris une douche et mis mon nouveau costume. Je le portais pour la première fois. Un superbe vêtement fait main, à deux cents dollars. Je m'examinai dans le miroir. Mon reflet était parfait : l'authentique écrivain à succès. Les épaules me semblèrent légèrement trop rembourrées, mais l'ensemble était magnifique. Nous étions faits l'un pour l'autre. Je descendis le couloir vers la réception, et la découvris derrière le bureau, rayonnante de joie quand je l'embrassais. Elle avait mis une écharpe sur ses cheveux. Elle la retira et se pavana devant moi.

« Ça te plaît ? » demanda-t-elle. « C'est la coupe petit-page. »

Son coiffeur avait retourné l'extrémité de ses cheveux grisonnants pour en faire un rouleau brillant. La laque figeait toute sa coiffure. Je la regardais sans réussir à me faire une opinion.

« Magnifique », dis-je, « parfait ».

Je remarquai un soupçon de rouge sur ses joues. Il me parut superflu.

« Où allons-nous ? » me demanda-t-elle.

« Chez *René et Jean* pour commencer. »

« Merveilleux », dit-elle, « mais buvons d'abord un cocktail ».

Je la suivis dans ses appartements, et aperçus deux martinis préparés sur une table. Je pris un verre et portai un toast :

« A la plus douce, à la plus gentille fille du monde. »

Elle sourit et but une gorgée de son martini. Elle s'étrangla et toussa en riant. Pendant qu'elle s'habillait, je m'assis et m'en resservis deux autres. Elle resta longtemps dans la salle de bains. Elle en ressortit avec des allures de mannequin, vêtue de son tailleur à la Joan Crawford, épaules larges et jupe étroite. Elle était très grande avec ses chaussures à hauts talons et lanière qui se fermait sur la cheville. Agité d'un frisson de concupiscence, je l'embrassai. Sur sa bouche, il y avait une mince couche de rouge à lèvres écarlate. Peut-être était-ce trop. Je ne savais que penser. Je m'interrogeais.

Je la fis monter dans ma voiture, descendis Wilshire jusqu'à Vermont et me garai dans le parking de chez *René et Jean*. Nous allions souvent dans ce restaurant ; c'était un vrai plaisir d'être accueilli par ce bon vieux Jean et les serveurs. Nous bûmes du vin et mangeâmes trop. Au moment de partir, elle me demanda : « Où allons-nous maintenant ? »

J'attendais sa question. « Laisse-moi faire. »

Je retournai vers Wilshire et obliquai en direction de l'Hôtel Ambassador. Elle était silencieuse, souriante, un peu renfrognée. Les larges épaules de son tailleur se détachaient contre le siège de la voiture, elles avaient perdu de leur élégance et semblaient maintenant trop voyantes. A l'Ambassador, je m'engageai dans l'allée de l'hôtel, garai la voiture et sortis. Elle descendit de son côté et regarda autour d'elle, émerveillée. Je lui pris le bras.

« Allons-y », dis-je en l'entraînant vers l'hôtel.

« Où allons-nous ? » demanda-t-elle.

« Au Coconut Grove écouter la musique d'Anson Weeks. »

Elle gloussa de plaisir et serra mon bras. « C'est tellement agréable d'être avec un écrivain célèbre ! »

« Pas encore célèbre, mais qui fait le nécessaire pour ça. »

« Nous arrivions à l'entrée de l'hôtel.

« J'ai mal aux pieds », murmura-t-elle.

A la réception, les accents de la musique d'Anson Weeks arrivaient de la salle de bal. L'orchestre jouait « *Where the Blue of the*

Night Meets the Gold of the Day » (1). Saisissant son bras, je sentis les battements de son cœur.

« Je suis tellement heureuse », dit-elle. « J'ai toujours voulu aller au Coconut Grove, et maintenant j'y suis. »

Le maître d'hôtel arriva et s'inclina. « Bonsoir. »

Je fis un signe de tête. « Nous aimerions une table. »

Il nous entraîna dans la grande salle somptueuse décorée de cocotiers et de lumières colorées. Sur la piste de danse, les couples glissaient en suivant le rythme de la musique, et des projecteurs envoyaient des faisceaux colorés sur les murs et le plafond. Notre table était au deuxième rang. Nous nous assîmes.

« Voulez-vous un cocktail maintenant ? » demanda le serveur.

Mme Brownell était tellement ahurie qu'elle put seulement hocher la tête pour acquiescer.

« Je voudrais un brandy », dis-je.

Elle posa sa main sur la mienne. « Je prendrai la même chose », dit-elle.

Le serveur s'éclipsa. Nous regardions les danseurs.

« Je ne sais pas danser », dis-je. « En tout cas, pas très bien. »

Elle serra de nouveau ma main. « Je t'apprendrai. »

Je fis mine de me lever. « Essayons. »

« Pas tout de suite, » dit-elle d'une voix

_____

(1) *Quand le Bleu de la Nuit Rencontre l'Or du Jour.* (N.d.T.)

hachée. « Attendons une danse ou deux. »

Le serveur revint alors avec nos cocktails. Il posa mon brandy devant moi et sourit en servant Mme Brownell.

« Et voilà pour la maman », dit-il.

Elle se raidit comme sous un coup de couteau. Ses yeux écarquillés de stupeur se posèrent sur moi. Son regard était coupable, gêné, intimidé. Quand elle baissa la tête, je crus qu'elle allait pleurer. Mais elle ne pleura pas. Elle releva son visage et sourit courageusement. Le serveur, gêné, s'éloigna.

« Bois ton brandy », lui conseillai-je.

Elle but une petite gorgée avec précaution, et notre attention retourna vers les danseurs.

Voici ce qui se passa ensuite : je m'efforçai de la faire rire, de la dérider, de l'animer, de lui faire oublier la gaffe du serveur. L'orchestre se mit à jouer une valse de Strauss. Alors je portai le coup de grâce :

« Veux-tu danser, maman chérie ? »

Elle parut effrayée, se mordit la lèvre, m'adressa un regard désespéré, puis ses yeux s'emplirent brusquement de larmes. Pleurant de façon incontrôlée, elle faillit renverser la table en se levant, puis elle se rua vers la réception de l'hôtel. Je vidai mon verre et sortis quelques secondes après elle. Elle n'était ni à la réception, ni dans l'escalier ; je sortis de l'hôtel juste à temps pour voir un taxi démarrer, et Mme Brownell sur le siège arrière. Je courus derrière le taxi en l'appelant, mais la voiture accéléra. Je retournai au Grove, payai l'addition, et ressortis pour retrouver ma voiture.

Quel gâchis. J'appréhendais de rentrer à

l'hôtel. Je devrais affronter Mme Brownell, ses larmes, mais il le fallait. Je tournai la clef dans la serrure de son appartement, et entrai. Il y avait un bruit d'éclaboussures venant de la douche de la salle de bains. Gisant par terre, j'aperçus son tailleur à la Joan Crawford, roulé en boule dans un coin comme si elle avait donné un coup de pied dedans. Son corsage traînait sur une chaise, ses chaussures et ses bas étaient éparpillés aux quatre coins de la pièce.

J'enlevai tous mes vêtements sauf mon caleçon, puis me glissai entre les couvertures du divan, croisant mes bras derrière ma tête et attendant qu'elle arrive. Je n'avais rien à dire. Je décidai de m'en remettre à elle. Elle émergea enfin de la salle de bains, en chemise de nuit, et ma présence inattendue l'irrita. Elle s'était lavé les cheveux pour se débarrasser de sa mise en plis ; d'horribles mèches humides encadraient son visage démaquillé, nu et ridé.

« Va-t'en, s'il te plaît », dit-elle.

« Je suis désolé. »

Elle alla vers la fenêtre et l'ouvrit en grand. La fraîcheur de la nuit s'engouffra dans la pièce. Sans un mot, elle rassembla mes vêtements, ma veste, mon pantalon, ma chemise, mes chaussures. Je crus d'abord qu'elle voulait mettre un peu d'ordre dans la pièce. Au lieu de quoi elle pivota vers la fenêtre et lança le tout dans la nuit. Je bondis aussitôt du lit et me ruai vers la fenêtre. En dessous, je vis mes vêtements épars dans les mauvaises herbes de la colline. La pente était assez raide. Mes habits ressemblaient à des cadavres. Mon pantalon pendait à une branche d'arbre. Je regardai Mme Brownell.

« Satisfaite ? »

« Pas tant que tu resteras ici. »

Je me mis à rassembler ses vêtements — le tailleur Crawford, le corsage, le jupon. Elle se précipita sur moi pour m'en empêcher et nous nous battîmes à coups de poing, mais j'étais le plus fort : je me libérai et lançai ses vêtements par la fenêtre. Avec un sourire, je lui dis : « Maintenant je peux m'en aller. »

« Et surtout, ne reviens pas », dit-elle d'une voix haletante. Je pris le couloir jusqu'à ma chambre, enfilai un peignoir et des chaussons, puis gagnai une porte à l'arrière de l'hôtel, qui donnait sur la cour et la colline. Comme j'escaladais la pente à quatre pattes pour récupérer mes affaires, j'aperçus Mme Brownell qui descendait la colline. Nous nous dévisageâmes en ramassant nos vêtements respectifs. Je dus monter à l'arbre pour attraper mon pantalon. Quand je sautai à terre, elle rampait vers la façade de l'hôtel. A mes pieds, j'aperçus une de ses chaussures. Je la ramassai et la lançai dans sa direction. La chaussure la toucha au cul. Folle de rage, elle la ramassa et la lança vers moi. Elle passa loin au-dessus de ma tête.

J'étais très triste en rentrant dans ma chambre. Les femmes ! Je ne connaissais rien aux femmes ! Je ne parvenais pas à les comprendre. J'ouvris une valise et fourrai mes affaires dedans. La chambre me parlait, me suppliait de rester — le tableau de Maxfield Parrish accroché au mur, la machine à écrire posée sur la table, mon lit, mon merveilleux lit, la fenêtre qui donnait sur la colline, source de tant de rêves, de tant de pensées, de tant de mots, une partie de moi-même, mon propre écho m'implorait de rester. Je ne voulais pas partir, mais il n'y avait pas à tortiller : j'avais gaffé, je m'étais moi-même flanqué à la porte, sans le moindre recours. Au revoir, Bunker Hill.

CHAPITRE DOUZE

Quand Frank Edgington apprit que j'étais à la rue, il m'invita à m'installer chez lui, dans les collines au-dessus de Beechwood Drive. Sa maison se réduisait à deux chambres à coucher dans un bosquet d'eucalyptus. Il me montra ma chambre, et je posai ma valise sur le sol nu. Il n'y avait pas de lit dans la pièce — seulement un matelas double posé contre un mur.

Ma cohabitation avec Edgington fut une expérience bizarre. Son mode de vie sortait tout droit de son enfance, et les jeux auxquels nous jouions dans son bureau n'étaient rien, comparés aux jeux éparpillés dans son salon. Nous plongeâmes tête baissée dans la vie excitante, palpitante et si romantique de Hollywood, commençant par une partie de ping-pong dans le garage. Puis nous allâmes dans la cuisine remplir nos gobelets avec du vin de table. Avant de nous jeter à plat ventre sur le parquet du salon pour entamer une partie acharnée de sauts de puces. Plus nous buvions, plus notre lutte était féroce. Nous rivalisions d'adresse aux fléchettes. Parfois nous nous endormions en jouant au bingo. Tout cela était pur et limpide, et quand il pleuvait, quand la pluie martelait le toit, nous allumions le chauffage à gaz dans la cheminée, et c'était comme si nous retrouvions notre enfance près d'un feu de camp dans les montagnes.

Je voyais rarement mon patron, Harry Schindler. Quand je le croisais dans l'ascenseur ou dans le couloir, il me prenait le bras affectueusement.

« Comment ça va ? »

« Impeccable, répondais-je, tout va bien. »

« Tu fais un boulot formidable. Continue comme ça. »

« Je n'écris rien, Harry. Je veux écrire. »

« Tiens bon. Prends ton temps. Laisse-moi m'inquiéter un peu à ton sujet. »

Chaque jour, la salle d'attente que nous partagions se remplissait de gens mystérieux qui venaient le voir. Sans doute des metteurs en scène, des scénaristes, des producteurs. Quand j'interrogeais ma secrétaire à ce sujet, elle refusait de me répondre. A mesure que le temps passait, je me sentais orphelin, un vrai paria improductif, inconnu, exilé. L'argent me clouait dans mon bureau, l'absence de la pauvreté, l'angoisse de son retour. La perspective de retrouver un boulot de saute-ruisseau me faisait frémir. Je sortais mon livret de caisse d'épargne et faisais mes comptes. J'avais économisé mille huit cents dollars, et j'envoyais tous les mois de l'argent à la maison. Je n'avais pas lieu de me plaindre.

Un matin, Thelma frappa à ma porte et l'ouvrit.

« Harry voudrait vous voir. »

Quand j'entrai, Schindler allumait un nouveau cigare.

« J'aurai peut-être quelque chose pour toi très bientôt », dit-il.

Je m'excitai aussitôt.

« Vous voulez dire un contrat ? »

« Peut-être. Nous en sommes au stade des négociations. »

« De quoi s'agit-il ? »

« Un roman, *The Genius*, de Theodore Dreiser. »

« Oh mon Dieu ! Quand le saurez-vous ? »

« Dans deux semaines. »

Je sortis de son bureau dans un rêve. Thelma observa mon visage. Je me penchai vers elle et l'embrassai sur la bouche.

« Trouvez-moi un exemplaire du roman de Theodore Dreiser intitulé *The Genius*. »

Dans l'heure, le roman fut sorti de la bibliothèque des studios et atterrit sur mon bureau. Je commençai à le lire. C'était un très long roman ; à la fin de la semaine, je l'avais lu deux fois et j'avais un carnet plein d'idées concernant son adaptation à l'écran.

Deux mois plus tard, je lus *The Genius* sans doute pour la dixième fois, et j'avais quatre carnets bourrés de notes, empilés sur mon bureau. Je sursautais chaque fois que le téléphone sonnait, pensant que c'était Schindler. Je gardais ma porte ouverte afin de surveiller la salle d'attente et les allées et venues de mon patron. Il avait une autre porte donnant dans le couloir. Chaque fois que je l'entendais s'ouvrir, je bondissais sur mes pieds et fonçais dehors. Deux fois, je l'attendais dans le couloir quand il apparut. Il fit comme s'il ne me voyait pas, passa devant moi sans m'accorder un regard. Mortifié, je rentrai dans mon bureau et m'effondrai sur ma chaise.

Pourquoi me faisait-il subir ce supplice ? Que m'arrivait-il ? Y avait-il une conspiration contre moi ? L'avais-je blessé ? Ne m'avait-il pas proposé ce boulot ? Etais-je maudit par Dieu Tout-Puissant ? Peut-être ma mère avait-elle raison : quand on perd la foi, on perd tout. Etait-elle mieux renseignée que moi sur les voies de la Providence ? Etait-il trop tard pour me repentir ? Je marchai jusqu'au parking, montai dans ma voiture, et pris Sunset jusqu'à l'église catholique. Agenouillé au premier rang de la nef, je priai en ces termes :

« Je Vous en supplie, Seigneur, faites quelque chose pour mon contrat. Je ne Vous ai rien demandé depuis des années. Faites cela pour moi et je retournerai dans le giron de la Sainte Eglise Apostolique et Romaine pour le restant de mes jours. »

Au bout d'un moment, un prêtre arriva et s'installa dans le confessionnal. Quelques vieilles femmes s'agenouillèrent dans les parages. J'allai m'agenouiller parmi elles. Quand mon tour arriva, j'entrai dans le confessionnal. A travers le treillis de bois, je voyais le visage blanc du prêtre. Je n'avais rien à dire. La culpabilité résultant de mes péchés passés s'était évaporée. Je demeurais agenouillé, de plus en plus gêné. Les secondes passaient. Le prêtre remua. Ses yeux cherchèrent les miens à travers le treillis de bois.

« Oui ? » demanda-t-il.

« Je suis désolé, chuchotai-je, mais je ne suis pas encore prêt à me confesser. »

Je me levai et sortis, descendis la nef latérale, franchis les lourdes portes de l'église, émergeai dans la rue. J'étais plus découragé que jamais, car quelque part dans mon cœur, j'avais toujours eu l'intime conviction que l'Eglise était ma deuxième famille. Sans jamais le formuler clairement, j'en avais toujours été intimement persuadé. Maintenant j'avais perdu cette belle conviction, je devais affronter seul un monde hostile. Je marchai jusqu'à ma voiture et montai. Brusquement, une impulsion désespérée me fit descendre, me ruer dans l'église, m'agenouiller de nouveau pour essayer de prier.

Je marmonnai un Je Vous Salue Marie, mais fus soudain interrompu par Thelma Farber. Je Vous Salue Marie pleine de grâce et Thelma Farber nue dans mes bras. Sainte Mère de Dieu, priez pour nous et j'embrasse les seins de Thelma Farber, j'étreins son corps et palpe ses cuisses. Pauvres pécheurs maintenant et à l'heure de notre mort et mes lèvres descendent vers les hanches de Thelma que j'embrasse lubriquement. J'étais perdu, déboussolé. Je sentais mon corps agenouillé sur le prie-Dieu, ma verge dure, en pleine érection, l'absurdité de ma situation, la coupure affolante qui me torturait. Je me levai, pris mes jambes à mon cou, rejoignis ma voiture et démarrai sur les chapeaux de roue, terrifié, tremblant de peur, ridicule à mes propres yeux.

Je fus soulagé de retrouver mon bureau. Il me fit l'impression d'un nid réconfortant. Thelma n'était pas là. Je fermai la porte, m'assis à mon bureau et allumai une cigarette, en proie à des mouvements intérieurs aussi bouleversants que mystérieux. J'étais sorti du

monde et maintenant j'avais beaucoup de mal
à retrouver mon chemin. Je songeai à Frank
Edgington au bout du couloir. Je pourrais
peut-être lui parler de mes problèmes. Non,
ce n'était pas une chose à faire. Edgington était
trop sardonique, trop impatient. Il se moque-
rait de moi, mettrait mes angoisses au compte
de mes origines paysannes.

On frappa à la porte. C'était Thelma. Quelques minutes plus tôt, agenouillé dans l'église,
j'avais embrassé ses reins, et elle était là.
Elle sentit quelque chose d'anormal.

« Vous vous sentez bien ? » demanda-t-elle.

« Oui oui, ça va. »

« Harry voudrait vous voir. »

« A quel sujet ? »

« Comment pourrais-je le savoir ? »

Je traversai la salle d'attente jusqu'au
bureau de Schindler et frappai à sa porte.

« Entre. »

J'ouvris la porte et le trouvai assis.

« Vous vouliez me voir ? »

« Mauvaises nouvelles. »

Je m'approchai.

« Nous ne pouvons pas acheter le livre de
Dreiser », dit-il.

« Pourquoi ? »

« Il n'est pas à vendre. » J'eus l'impression
que cela ne lui semblait pas important.

« Et maintenant, que dois-je faire ? »

« Continue comme auparavant. »

« J'ai des dizaines de pages de notes sur le
bouquin de Dreiser. Voulez-vous les voir ? »

« Non », dit-il. « Oublie tout ça. »

« Donnez-moi quelque chose à écrire. »

« Je n'ai rien pour l'instant. »

J'étais furieux. « Trouve quelque chose, espèce de salopard ! »

Il me regarda en serrant la mâchoire et se leva lentement.

« Sors d'ici. »

Je fis demi-tour, sortis et retournai dans mon bureau. Alors je sentis toute ma douleur déborder, me submerger, ma solitude, mon éloignement de tout, mon étrangeté, et je pleurai. Je me jetai sur le divan et m'abandonnai à mes sanglots. Thelma arriva à ma porte. Elle parla doucement.

« Arturo, qu'y a-t-il ? »

Je m'assis, lui rapportai les paroles de Schindler et me remis à pleurer.

« Pauvre, pauvre garçon ! » Elle avança vers le divan et s'assit. Je sentis le poids de son corps qui s'enfonçait dans le divan. Cela me fit du bien. Encouragé, je sanglotai de plus belle. De son bras long et doux, elle entoura mes épaules et tapota mes yeux avec son mouchoir. L'odeur de son parfum m'enivra. Je me tournai vers elle et posai ma tête sur son épaule. Elle me berça doucement.

« Aide-moi, Thelma », lui dis-je. « Je suis si malheureux. »

Elle tamponna mes yeux mouillés de larmes et me serra contre elle, pressant ses seins contre ma poitrine.

« Oh, Thelma, aide-moi ! »

« Là, là », fit-elle pour me calmer, en caressant mes cheveux.

« Oh, Thelma, embrasse-moi ! »

Elle se leva, se dirigea vers la porte, la ferma, puis revint s'asseoir à côté de moi.

« Oh, Thelma. Si seulement tu savais comme

je te désire, comme je désire te tenir dans mes bras, t'embrasser. »

« Je l'ai deviné », dit-elle. « A ta façon de me regarder. Je le sais depuis toujours. »

Je m'allongeai sur le divan et l'attirai vers moi, sa bouche rencontra la mienne ; elle était douce, fraîche et pleine. Brusquement, je portai la main à ma braguette et tirai sur la fermeture Eclair, tandis qu'elle se dressait pour relever sa jupe et retirer sa petite culotte blanche. Elle s'allongea par terre, puis écarta bras et jambes.

« Dépêche-toi », haleta-t-elle.

Je roulai au pied du divan et me mis en position entre ses longues jambes fuselées gainées de bas, mais ma fermeture Eclair était coincée, et je me battis désespérément avec elle. Les mains de Thelma descendirent vers ma ceinture, et après un effort violent mon pantalon fut sur mes chevilles. Je me penchai sur elle, mon outil au garde-à-vous ; j'essayai de la harponner, mais ratai mon coup plusieurs fois de suite. Thelma poussa un petit cri de contrariété, puis saisit mon truc pour essayer de le faire entrer. A cet instant précis, j'entendis le bouton de porte grincer, le bruit de la porte qui s'ouvrait, je dirigeai mes yeux vers la porte et découvris Harry Schindler qui nous regardait. Toute vie abandonna mon outil, et je restai allongé là, pétrifié de terreur tandis que Thelma, elle aussi en état de choc, tenait ma verge molle dans sa main.

« Très bien, Thelma », dit calmement Schindler. « Lâche la barre et débarrasse le plancher. »

Elle se releva, lissa sa jupe, le regarda avec une expression de mépris et de défi, puis passa devant lui pour sortir de la pièce en tenant sa petite culotte à la main.

« On réglera ça plus tard ! » dit-il, menaçant. Elle haussa les épaules.

Je me relevai à mon tour et rajustai mon pantalon.

« Nous devons parler », dit Schindler. Puis il pivota sur ses talons et sortit.

Je le trouvai qui m'attendait, les pieds posés sur son bureau, un nouveau cigare à la bouche. Il me regarda avec un sourire méprisant.

« Je ne parviens pas à y croire », dit-il. « Ce n'est pas possible. »

« Je suis navré, Harry. »

« Navré de quoi ? Ce n'est pas de ta faute. Ce n'est jamais de ta faute. »

« Mais si. C'est moi qui l'ai séduite. »

Il enleva ses pieds du bureau et se pencha en avant.

« Ecoute-moi, petit. Elle bouffe tout cru n'importe quel scénariste. Je veux dire les grands scénaristes, les lauréats du Prix Pulitzer ou de l'Académie des Lettres, les scénaristes à trois mille dollars la semaine. Voilà ce que je ne comprends pas : pourquoi toi ? ! Tu n'as même pas ton nom au générique d'un film ! »

Je ne savais pas s'il m'envoyait des fleurs ou des pavés.

« Ça s'est passé tout seul », dis-je. « Je ne m'y attendais même pas. Mais ne lui en tenez pas grief. Je veux dire, ne la virez pas. »

« C'est toi que je vire », dit Schindler. « A

partir de maintenant, tu ne fais plus partie de l'équipe. »

« Et Thelma ? Est-elle virée aussi ? »

« Je ne peux pas la virer. Je ne la virerai jamais. Je veux la garder près de moi pour pouvoir la surveiller, mais je vais te dire une bonne chose : si ça se reproduit, je demanderai le divorce. »

« Bon Dieu, Schindler ! » dis-je avant de sortir de son bureau, complètement ahuri.

CHAPITRE TREIZE

Il fallait avoir un agent. Sans agent, on était un paria, un inconnu. La simple existence d'un agent littéraire vous conférait un statut, même s'il ne faisait strictement rien. Quand un écrivain demandait à un autre : « Qui est votre agent ? » et que vous répondiez : « Je n'en ai pas », il en déduisait immédiatement que vous n'aviez pas davantage de talent. L'agent d'Edgington était Cyril Korn.

« Il ne te plaira pas », m'avertit Edgington, « mais il est efficace ».

J'envoyai trois nouvelles au bureau de Korn, à Beverly Hills, et attendis son coup de téléphone.

Qui ne vint jamais. Finalement, Edgington lui téléphona et prit un rendez-vous pour moi. Son bureau se trouvait dans un bâtiment neuf, sur Beverly Drive. Sa secrétaire m'annonça et je m'assis pour attendre. Au bout de deux heures, je fus introduit dans le bureau du grand homme.

Debout sur la moquette, au centre de la pièce, il s'entraînait à frapper des balles de golf pour les envoyer dans un verre. Il ne me dit même pas bonjour. Enfin, il astiqua son putter avec une grande concentration et m'adressa la parole sans me regarder.

« J'ai lu vos nouvelles », dit-il.

« Elles vous ont plu ? »

« Je les ai détestées. Z'avez pas la moindre chance de fourguer ce genre de saleté à un producteur de cinéma. »

« Je n'essaie pas de les fourguer à un producteur. Je voulais simplement vous montrer que je sais écrire. »

Il se débarrassa de son putter et me regarda pour la première fois. « Je ne crois pas que vous sachiez écrire. »

« Vous voulez dire que vous refusez de vous occuper de moi ? »

« Avez-vous déjà écrit des scénarios ? »

« Non, mais j'ai écrit un script pour Harry Schindler. J'ai travaillé sur *The Genius* de Dreiser. »

« Et il vous a viré. Avez-vous collaboré avec quelqu'un de connu ? »

« Non. »

« J'ai une cliente qui cherche un collaborateur — quelqu'un de jeune, de frais, un esprit peu sophistiqué. Ma cliente s'appelle Velda van der Zee. Ça vous dit quelque chose ? »

« Non. »

« Mais qu'avez-vous donc fait ces dernières années ? Velda van der Zee a écrit davantage de scénarios que vous n'en écrirez en un siècle. »

« Vous croyez que nous pourrons travailler ensemble ? »

« C'est une sacrée chance que je vous offre. Vous aurez peut-être votre nom au générique. »

« J'aimerais essayer. »

« Je vous tiendrai au courant. »

Le téléphone sonna. Korn décrocha et me fit un signe de la main. Pour me dire : dehors !

Ecœuré, je sortis. Il m'avait humilié, insulté, accablé de son mépris et de sa morgue ; je ne voulais plus jamais avoir affaire à lui. Pendant tout le chemin du retour, je grinçai des dents en songeant à lui, debout en veste de velours rouge, frappant des balles de golf. Je préférais sortir du circuit plutôt que de le prendre comme agent littéraire. Plutôt servir des légumes au déli d'Abe Marx... Quand je racontai mon entretien à Edgington, il sourit tranquillement.

« Il est un peu spécial, mais c'est un bon agent littéraire. Maintenant, prends ton mal en patience. »

« Je refuse de parler à ce sale fils de pute. »

Le lendemain matin, le bureau de Cyril Korn téléphona. C'était sa secrétaire : « M. Korn voudrait vous voir à deux heures cet après-midi. » Elle raccrocha.

A deux heures, j'attendais dans la salle d'attente de Korn. Deux heures et un paquet de cigarettes plus tard, je fus admis dans le saint des saints.

Cyril Korn était assis derrière son bureau, veste rouge et tout le tremblement, il parlait à une femme installée en face de lui, une femme épanouie, florissante, avec des seins aussi plantureux que des melons, un gigantesque chapeau et des boucles d'oreilles tintinnabulantes. Son maquillage était lourd, ses lèvres trop rouges. Elle m'adressa un sourire.

« Velda, dit Korn, je vous présente Arturo Bandini. Il se dit écrivain. »

Velda me tendit une main couverte de bijoux, que je saisis. « Enchanté de faire votre connaissance », dis-je.

« Tout le plaisir est pour moi », répondit-elle.

Korn se leva. « Je vous laisse tous les deux quelques instants », dit-il. « J'aimerais que vous lisiez quelque chose. » Il prit deux manuscrits sur son bureau et en tendit un à chacun de nous. « Lisez ceci et dites-moi ce que vous en pensez. Je serai de retour dans une heure. » Il sortit du bureau et ferma la porte.

« Vous êtes *vraiment* jeune, n'est-ce pas ? » dit Velda.

« Je suis peut-être jeune, mais je suis un sacré bon écrivain. »

Elle rit, ce qui me permit d'admirer ses fausses dents. « Vous savez quoi ? » dit-elle. « Vous ressemblez à Spencer Tracy. J'ai vu Spence ce matin chez Musso-Frank. Nous avons pris le petit déjeuner ensemble. Il m'a parlé de son travail avec Loretta Young — de son amour pour elle. Elle est tout simplement merveilleuse, vous ne trouvez pas ? Je connais très bien Loretta, Sally ainsi que leur mère. Quelle belle famille. Elle était sous contrat avec la Metro quand je travaillais là-bas. Nous déjeunions très souvent ensemble, Loretta et moi, avec Carole Lombard et Joan Crawford. Je suis sûre que Joan vous plairait énormément. C'est une femme tout ce qu'il y a de plus adorable. Et Robert Taylor ! Je jure que c'est le plus bel homme de tout Hollywood, à l'exception de Clark Gable, bien évidemment, Clark et moi sommes de vieux amis. Je l'ai connu quand il a commencé dans le métier. Je l'ai vu gravir les échelons, et regardez où il est arrivé aujourd'hui ! Il paraît qu'il est amoureux de Claudette Colbert, mais je n'y crois pas. Je l'ai croisé au tennis club il n'y a pas si longtemps, et je lui ai demandé si c'était vrai. Il a ri, de son rire joyeux et viril, m'a embrassée sur la joue et m'a dit : " Tu veux savoir la vérité, Velda ? C'est de toi que je suis amoureux. " N'est-ce pas chou ? John Barrymore, ce grand taquin, me faisait toujours la même plaisanterie. Rien à voir avec Lionel ou Ethel, c'était un esprit libre, un poète romantique. Certains prétendent qu'Errol Flynn est plus séduisant, mais je ne suis pas d'accord avec eux. Ronald Coleman, en revanche, est un autre type d'homme — si pimpant, le regard étincelant et les manières d'un prince. Il a organisé une party à Santa Barbara il y a deux semaines. Certainement la plus merveilleuse soirée de toute l'histoire d'Hollywood. Norma Shearer était présente, et Tallulah Bankhead, et Alice Faye, et Jean Harlow, et Wallace Beery, et Richard Barthelmess, et Harold Lloyd, et Douglas Fairbanks Jr. Oh, ç'a été une soirée fabuleuse — une soirée que je n'oublierai jamais ! »

Elle fit une pause pour reprendre son souffle. « Mais me voilà en train de parler de moi comme d'habitude. Dites-moi, aimez-vous Hollywood ? »

« Parfois je l'aime, dis-je, et parfois je le déteste. »

« Comme c'est drôle ! » s'écria-t-elle. « Pat O'Brien m'a dit exactement la même chose la semaine dernière à la Warner Brothers. Nous déjeunions ensemble dans le Salon Vert de la Warner Brothers — Pat et moi, avec Bette Davis et Glenda Farrell. Je ne sais plus comment nous en sommes venus à parler de Hollywood, mais Pat s'est brusquement mis à réfléchir, puis il a déclaré exactement ce que vous venez de dire. »

La porte s'ouvrit et Cyril Korn entra. « Comment vous entendez-vous, tous les deux ? » demanda-t-il.

« Merveilleusement », répondit Velda van der Zee. « Nous allons constituer une équipe formidable. »

Il se tourna vers moi. « Vous aimez cette histoire ? » demanda-t-il.

« Bien sûr qu'il l'aime », dit Velda. « Il l'adore, du début à la fin, n'est-ce pas, Arturo ? »

« Oui, je crois. »

Korn frappa dans ses mains. « Alors l'affaire est conclue. J'appelle Jack Arthur pour lui annoncer que tout est arrangé. »

« Qui est Jack Arthur ? » demandai-je. Avant que Korn n'ait pu répondre, Velda s'écria :

« Jack Arthur est un des plus délicieux producteurs de tout Hollywood. Il fait partie de mes amis les plus intimes depuis dix ans. J'étais demoiselle d'honneur à son mariage, et je suis la marraine de ses deux enfants. Qu'ajouter de plus ? »

« Rien », répondis-je. « Ça suffit largement. »

Une particularité de Cyril Korn : quand il désirait vous voir partir, il vous jetait quasiment de son bureau. Il retourna s'asseoir à sa place. « C'est tout pour aujourd'hui. Tenez-moi au courant. »

Je sortis avec Velda. Nous prîmes l'ascenseur jusqu'au rez-de-chaussée et traversâmes ensemble le parking.

« Seriez-vous par hasard un spécialiste de la lutte indienne ? » me demanda-t-elle.

« Pas le moins du monde », dis-je.

« Hier soir, dans la maison de Jeannette McDonald, Lewis Stone et Frank Morgan se sont livrés à une démonstration de lutte indienne. Un spectacle inoubliable. Ils se sont tirés et poussés jusqu'à ce que leur visage soit couvert de sueur. Et savez-vous qui a gagné ? »

« Non. »

« Lewis Stone ! » s'écria-t-elle. « Ce merveilleux gentleman a vaincu Frank Morgan à la lutte indienne. Tout le monde hurlait de rire et applaudissait à tout rompre. »

Je la regardai. Son visage empâté était rouge d'excitation. Les mots tombaient de ses lèvres en un flot incontrôlable. Pas de doute, elle était totalement givrée. Elle vivait dans un univers de noms propres d'où étaient exclus les corps et les êtres humains. Seuls comptaient les noms célèbres. Rien de ce qu'elle disait ne pouvait être vrai. Elle inventait tout bonnement à mesure qu'elle pérorait. C'était une menteuse, une adorable menteuse dont l'esprit bouillonnait perpétuellement d'histoires absurdes.

Elle m'entraîna vers sa voiture — une Bentley couleur bronze.

« Wow ! » fis-je. Elle rayonnait de fierté en regardant sa voiture luisante.

« Ça a l'air cher », dis-je. Cette réflexion lui plut.

« Je l'ai achetée à Wallace Beery », dit-elle. « Wally voulait une Rolls Royce, si bien que je l'ai eue pour une bouchée de pain. »

Elle ouvrit la porte de derrière pour que je regarde à l'intérieur. Les sièges étaient recouverts de velours vert. Il y avait une tache au milieu, une tache brune. Elle sourit.

« Vous regardez la tache brune, n'est-ce pas ? Claire Dodd en est responsable. Un soir, je l'ai ramenée après une party chez Jeannette McDonald, et elle a renversé un verre de vin sur le siège. Pauvre Claire ! Elle s'est sentie tellement humiliée ! Elle voulait me payer le nettoyage du siège, mais naturellement j'ai refusé. Après tout, les amies sont les amies, n'est-ce pas ? »

« Voulez-vous que je vous téléphone ? » lui demandai-je. Elle me donna son numéro de téléphone, puis nous nous serrâmes la main.

« Voulez-vous que je vous dépose quelque part ? »

« J'ai une voiture », dis-je en montrant ma Plymouth.

« Ce ne serait pas une Ford, par hasard ? » demanda-t-elle.

« Presque, » dis-je. « C'est une Plymouth. »

« J'en ai possédé une, autrefois. Ces voitures sont très inconfortables. »

Nous nous sommes dit au revoir et je suis monté dans ma voiture inconfortable.

Le script que Cyril Korn nous avait donné était signé Harry Browne. C'était l'histoire de la lutte qui opposait gardiens de bestiaux et gardiens de moutons. Les gardiens de bestiaux étaient les mauvais, et les bergers les bons. Il y avait également une tribu d'Indiens hostiles qui capturaient Julia, l'héroïne, et la gardaient prisonnière dans le village indien. Quand les gardiens de bestiaux et de moutons apprenaient sa capture, ils joignaient leurs forces et galopaient pour la délivrer. Après la bataille pendant laquelle Julia est libérée, les gardiens de bestiaux et les gardiens de moutons se serrent la main et règlent pacifiquement les rivalités qui les opposaient.

Quelques jours plus tard, Velda van der Zee m'emmena dans sa Bentley jusqu'aux Studios Liberty pour rencontrer le producteur, Jack Arthur. J'étais assis à ses côtés tandis qu'elle manœuvrait sa magnifique machine silencieuse. L'histoire lui plaisait, disait-elle. C'était un classique, le film serait certainement sélectionné pour les *academy awards*. Elle imaginait parfaitement Gary Cooper et Claire Trevor dans les rôles principaux, avec Jack La Rue jouant le rôle de Magua, le chef indien.

« Gary Cooper est un ami », dit-elle. « Je lui ferai lire le scénario. Il a toujours fait beaucoup de cas de mon opinion. »

« Bonne idée », dis-je.

Velda s'arrêta dans le parking des Studios Liberty, et nous rejoignîmes le bureau de Jack Arthur. Jack Arthur était un fumeur de pipe. Il embrassa Velda sur la joue et me serra la main.

« Bien », dit-il. « Que pensez-vous du script ? »

« Inoubliable », dit Velda. « Nous l'adorons. »

« Il possède certaines qualités », dit Arthur. « Etes-vous prêts à vous mettre au travail ? »

« Bien sûr », dit Velda. « Comment vont les enfants ? »

« Bien, très bien. »

« Il faudra que tu rencontres les enfants de Jack, Arturo. Ce sont les plus merveilleuses créatures du monde. »

Jack Arthur rayonnait de plaisir. « Vous avez besoin d'un bureau », dit-il en tendant le bras vers le téléphone.

Velda intervint aussitôt : « Ce ne sera pas nécessaire. Nous travaillerons chez moi. » Se tournant vers moi, elle me sourit. « Cela te va, Arturo ? »

« Très très bien », dis-je.

« Tout est donc réglé », dit Arthur. « Je vais joindre Cyril Korn pour signer les contrats. Si vous avez besoin de quoi que ce soit, appelez-moi. » Il me serra la main. « Bonne chance, Bandini. Ecrivez-moi un succès du tonnerre de Dieu. »

« Je vais essayer. »

Velda et moi avons dit au revoir et sommes partis.

Alors que nous rentrions vers la ville, je lui dis : « J'ignorais que nous allions travailler chez vous. »

« Je travaille toujours chez moi. »

« Où habitez-vous ? »

« A Benedict Canyon. L'ancienne maison de William Powell. Tu vas l'adorer. »

Elle se mit à parler d'Irene Dunne et de Myrna Loy, mais je connaissais maintenant la musique et l'écoutai d'une oreille distraite passer à Lew Ayres, Frederic March, Jean Harlow et Mary Astor. Quand elle s'arrêta devant la maison de Frank Edgington, elle était plongée dans une réminiscence de Franchot Tone ; aussi, je dus attendre patiemment

102

qu'elle achevât son histoire. Après quoi je descendis de voiture et Velda démarra.

Le lendemain, je pris mon inconfortable Plymouth pour aller à Benedict Canyon et retrouver Velda van der Zee dans son château français. Il était niché dans un bosquet de bouleaux blancs sereins et aristocratiques. Des tours jumelles aux toits de tuiles gardaient l'entrée principale, et des colonnes doriques encadraient une grande porte en chêne massif. Une domestique répondit à mes coups de heurtoir — une tête de lion. C'était une femme d'âge mûr vêtue d'une austère tenue noire.

« Je suis Arturo Bandini. »

« Je sais », me répondit-elle en souriant. « Entrez, s'il vous plaît. »

Je la suivis dans une vaste entrée, puis dans le salon. L'endroit était sinistre, intimidant, bondé de meubles Louis XV et d'énormes lampes à abat-jour en perles. Au-dessus du manteau de la cheminée trônait une immense peinture à l'huile figurant un vénérable vieillard à barbe blanche.

« Qui est-ce ? » demandai-je.

« M. van der Zee », dit la domestique.

« Je crois que je ne l'ai jamais rencontré. »

« Rien d'étonnant à cela », dit la domestique. « Il est mort. »

« Il a dû être très riche », dis-je.

Elle rit. « Vous aussi, vous seriez riche si vous possédiez la moitié de Signal Hill. »

« Oh. »

Descendant lentement les marches de l'escalier monumental, Velda van der Zee arriva, flottant dans une robe d'intérieur diaphane. Des pans de soie planaient derrière elle comme un essaim de chérubins ; un nuage de parfum exotique m'enveloppa quand elle me tendit la main.

« Bonjour, Arturo. Nous mettrons-nous au travail séance tenante, ou aimerais-tu voir le reste de ma demeure ? »

« Travaillons », dis-je.

Elle me prit par le bras. « Voilà ce que j'aime chez vous, jeune homme, votre opiniâtreté. » Elle m'entraîna vers une pièce surnaturelle.

« Voici ma tanière », dit-elle.

Je regardai autour de moi. C'était bien une tanière. Pas un centimètre carré de mur qui ne fût couvert d'une photo dédicacée par une vedette de cinéma. Les gens chics. Si beaux, multipliant les sourires charmeurs et les dentitions éblouissantes, les poses gracieuses de la main et les peaux soyeuses. Mais c'était aussi une chambre triste, une sorte de mausolée où s'étalaient les images des vivants et des morts. Velda les regardait avec infiniment de respect.

« Mes amis bien-aimés », soupira-t-elle.

Je faillis l'interroger à propos de son mari, mais cela me parut soudain incongru. Elle se dirigea vers un bureau tarabiscoté, style provincial français, qui supportait une machine à écrire.

« Mon bureau préféré », dit-elle. « Maurice Chevalier me l'a offert en cadeau de Noël. »

« Pure merveille », dis-je.

Velda retourna près de la porte et tira sur un cordon rouge. Une sonnerie retentit et la domestique apparut bientôt. Velda commanda

104

du café. J'allai au bureau et m'assis devant la machine à écrire.

« Avez-vous lu le script ? » lui demandai-je.

« Pas encore. J'ai l'intention de le lire ce matin. »

Elle traversa la pièce vers un divan et s'assit.

« Voulez-vous que je vous raconte quelque chose de passionnant à propos de cette pièce ? »

« Volontiers, je vous en prie. »

« C'est ici que j'ai signé mon premier contrat avec Louis B. Mayer. Il était exactement assis à votre place, et j'ai signé les papiers nécessaires. C'était il y a dix ans. Un homme merveilleux. Un de ces jours, je donnerai une party, et vous le rencontrerez. Si vous lui plaisez, votre avenir est assuré. »

« J'aimerais beaucoup le rencontrer. » Je sortis le script de la poche de mon manteau. « Commençons. »

La domestique entra avec le café servi sur un plateau. Velda parlait en servant. « Maintes gens célèbres ont fait à cette pièce l'honneur de leur présence. Vous vous souvenez de Vilma Banky et de Rod La Roque ? »

Alors elle démarra. Vilma Banky, Rod La Roque, Clara Bow, Lillian Gish, Marian Davies, John Gilbert, Colleen Moore, Clive Brook, Buster Keaton, Harold Lloyd, Wesley Barry, Billie Dove, Corinne Griffith, Claire Windsor. Elle sillonnait voluptueusement les nuées de ses rêves, sirotait son café, allumait une cigarette, échafaudait des souvenirs impossibles, invoquait la fascination de mensonges enchanteurs et d'univers absurdes qu'elle avait créés pour ses propres délices.

Effondré dans mon fauteuil, en proie à un

désespoir sans fond, j'écoutais en imaginant des stratagèmes pour m'échapper, courir dans le jardin, sauter dans ma voiture et retrouver la réalité de Bunker Hill ; je me voyais hurler, bondir sur mes pieds et hurler, la supplier de se taire, et finalement déclarer forfait, m'écrouler, mortellement blessé, dans l'immense fauteuil qui avait jadis accueilli le cul de Louis B...

Nous n'avons rien fait, strictement rien, mais quand elle fut prise de somnolence et qu'elle passa du café au martini, ce fut trop pour moi. Ses yeux étaient mi-clos quand je m'approchai d'elle et lui pris la main.

« Au revoir, Velda. Nous essaierons de nouveau demain. »

Et je partis.

Le lendemain, tout recommença exactement de la même façon, seuls les personnages avaient changé, et le lieu de la causerie. Nous nous installâmes dans le belvédère, sur la pelouse, sous le poivrier. Cette fois, il n'y eut pas de café, mais un grand pichet de martini et la voix sonore, soporifique, de Velda parlant de Jean Arthur, Gary Cooper, Tyrone Power, Errol Flynn, Lily Damita, Lupe Velez, Dolores del Rio, Merle Oberon, Claude Rains, Leslie Howard, Basil Rathbone, Nigel Bruce, Cesar Romero, George Arliss, Henry Armetta, Gregory La Cava, Paulette Goddard, Walter Wanger, Norma Talmadge, Constance Talmadge, Janet Gaynor, Frederic March, Nils Asther, Norman Foster, Ann Harding et Kay Francis.

CHAPITRE QUATORZE

La perspective de nous retrouver le lendemain me faisait frémir. Il me semblait avoir une gueule de bois carabinée. Je voyais partout ses yeux humides dans un visage mou, j'entendais sans cesse les babillements de sa voix monocorde. Je savais pertinemment que je ne pourrais jamais travailler avec elle, ou bien qu'elle me rendrait fou. Le lendemain matin, je lui téléphonai vers dix heures, mais la ligne était bien sûr occupée. Elle était toujours occupée à onze heures, comme à midi et tout l'après-midi jusqu'au soir. Je finis par renoncer ; je m'assis devant ma machine à écrire et lui écrivis une lettre :

Chère Velda,
Je dois être honnête avec vous. Nous ne serons jamais en mesure de travailler ensemble. Je ne vous le reproche pas, car je crois que c'est ma faute. Je compte donc écrire le scénario seul et dès demain. Quand j'aurai terminé, je vous le soumettrai, et vous pourrez le corriger et l'améliorer comme bon vous semblera. J'espère que vous serez d'accord avec cette façon de procéder.

Salutations distinguées,
Arturo Bandini

Deux jours après, elle me téléphona.

« Etes-vous bien certain de savoir ce que vous faites, Arturo ? »

« Absolument. »

« Fort bien. Dans ce cas, vous écrirez le premier jet, et je m'occuperai de la mouture définitive. Téléphonez-moi si vous rencontrez le moindre problème. »

« Je n'y manquerai pas. »

Je me mis immédiatement au travail, mais plus j'avançais dans la rédaction du scénario, moins il me plaisait. Je commençai un autre brouillon. Puis un autre. Puis une idée totalement inédite explosa dans mon esprit : une nouvelle histoire. Finis les gardiens de bestiaux et autres bergers ; je désirais quelque chose de plus conventionnel, composé à partir des fragments de films que je me rappelais avoir vus dans mon enfance. Cela s'annonçait magnifiquement. Les pages s'empilaient. Je m'amusais. Je m'excitais. En une seule séance, j'écrivis vingt pages.

Le lendemain, de nouveau l'état de grâce : vingt autres pages. Le soir, j'ai écrit jusqu'à une heure du matin : quinze pages supplémentaires. J'adorais ça. J'étais ravi. Quelle rapidité ! Quelle acuité ! Quels dialogues ! J'accouchais d'une œuvre vraiment exceptionnelle. Je ne pouvais échouer. Je m'imaginais en héros, en nouvelle vedette du cinéma. Et je poursuivis à bride abattue : je gravissais les canyons, dévalais les ravins, cavalcades effrénées, détonations des six coups, Indiens qui s'écroulent, sang dans la poussière, hurlements des femmes, maisons en feu, la menace du mal, le triomphe du bien, la victoire de l'amour. Bang bang bang, un frisson par minute, la plus fabuleuse histoire de western jamais écrite. Enfin, drogué au café, le ventre douloureux à cause des cigarettes, les yeux brûlants, le dos courbatu, j'achevai mon boulot. Fièrement, je pliai le manuscrit dans une grande enveloppe, que j'envoyai à Velda van der Zee. Puis je pris du bon temps et attendis, sachant parfaitement qu'elle ne pourrait changer le moindre mot, qu'elle tenait un véritable joyau entre ses mains.

Je passais mes journées sur Hollywood Boulevard, dans la librairie de Stanley Rose, dans les saloons du quartier ; je jouais au flipper, j'allais au cinéma. Un jour, n'y tenant plus, je téléphonai à Velda van der Zee. Sa ligne était occupée. Une heure plus tard, elle était encore occupée. Elle fut occupée toute la journée. En pleine nuit aussi, elle était occupée. Le lendemain matin, je ne supportais plus d'attendre. Je montai dans ma Plymouth et fonçai à Benedict Canyon. Le moteur cognait. Faudrait faire vérifier les segments. Je m'arrêtai dans l'allée de Velda et frappai à sa porte. Il était midi. La domestique vint m'ouvrir.

« Je suis venu voir Velda. »

« Impossible », dit-elle. « Elle dort encore. »

« Je vais attendre. »

Elle me regarda retourner à ma voiture et m'asseoir derrière le volant. A une heure de l'après-midi, j'étais toujours là, à deux heures, à trois heures, et à quatre heures je suis parti. J'ai roulé jusqu'à l'hôtel sur Sunset. Je suis allé à la cabine téléphonique de la réception et j'ai composé le numéro de Velda. Comme j'attendais, je subodorais la suite et je ne me suis pas trompé : la ligne était occupée. Sonné, je titubai vers la maison de Frank. J'ai marché pendant dix minutes avant de réaliser que je n'étais pas dans ma voiture.

L'aspect le plus intéressant de ma collaboration avec Velda était financier. Au bout de quinze semaines et autant de chèques de trois cents dollars, elle téléphona. Elle avait terminé le scénario. Elle me l'envoyait en recommandé. Je devrais l'avoir le lendemain. Elle était très fière de son travail. Elle savait d'avance que le résultat me plairait, que nous avions créé un véritable chef-d'œuvre.

« Avez-vous changé beaucoup de choses ? » lui demandai-je.

« Oh, çà et là, des broutilles. Mais l'essence de votre version, votre premier jet est toujours présent. »

« J'en suis heureux, Velda. Franchement, je commençais à m'inquiéter. »

« Vous allez être ravi, Arturo. Pour vous dire la vérité, j'ai eu très peu de choses à corriger. Le mérite de ce scénario vous revient presque entièrement. »

Le lendemain, assis sur le porche de la maison d'Edgington, j'attendais le facteur. A midi, un fourgon postal arriva et le conducteur me remit une grosse enveloppe. Je signai son registre, m'assis sur une marche du porche, et ouvris le manuscrit.

Sur la page de titre, on lisait *Sin City* (La Ville du Péché), scénario de Velda van der Zee et Arturo Bandini, d'après une histoire de Harry Browne. J'avais lu la moitié de la première page quand mes cheveux commencèrent à se dresser sur ma tête. Au milieu de la deuxième page, je dus écarter le manuscrit pour m'appuyer à la balustrade du porche. Ma respiration était saccadée, d'inquiétants éclairs de douleur torturaient mes jambes et mon estomac. Vacillant, j'allai dans la cuisine boire un verre d'eau. Edgington prenait son petit déjeuner à la table. Dès qu'il vit mon visage, il bondit sur ses pieds.

« Bon Dieu, qu'y a-t-il ? »

Incapable de parler, je me contentai de tendre le doigt en direction du manuscrit. Edgington marcha jusqu'à la porte d'entrée et regarda autour de la maison.

« Que se passe-t-il ? » dit-il. « Qui est là ? »

Je titubai jusqu'au porche et lui montrai le manuscrit. Il le prit.

« Qu'est-ce que c'est ? » Il regarda la page de titre. « Qu'est-ce qui cloche ? »

« Lis. »

Il s'assit dans le fauteuil à bascule installé sur le porche.

« Je me suis fait avoir », dis-je. « Je n'ai jamais écrit ça. »

Il commença de lire. Brusquement il rit, un bref aboiement étouffé. « C'est drôle », dit-il. « C'est un scénario comique. »

« Tu veux dire que c'est une comédie ? »

« C'est ça qui est drôle : ce n'est pas une comédie. » Il se replongea dans le manuscrit et lut dix pages en silence. Puis il referma le texte d'un geste lent et me regarda.

« Tu le trouves toujours drôle ? »

Il roula le manuscrit et le lança dans les mauvaises herbes du jardin.

« C'est atroce », dit-il.

J'allai ramasser le manuscrit dans les mauvaises herbes. Plus de quinze semaines auparavant, Frank avait lu ma version. Il l'avait aimée, l'avait admirée.

« Que faire ? » lui demandai-je.

« Pourquoi ne retournerais-tu pas au Colorado apprendre à poser des briques avec ton vieux ? »

« Ce n'est pas une solution. »

« La seule solution consiste à retirer ton nom du scénario. Renie-le. Refuse d'être associé à ça. »

« Je peux peut-être le sauver. »

« Le sauver de quoi ? Il est foutu, mon vieux. On l'a assassiné. Appelle ton agent et dis-lui de retirer ton nom. Ou alors quitte cette ville. »

Il se leva et retourna dans la cuisine. J'ouvris le scénario pour le relire. Voici :

Une diligence roule dans la plaine du Wyoming, poursuivie par une bande d'Indiens. La diligence s'arrête. Les Indiens l'entourent. Deux passagers : le Révérend Ezra Drew et sa fille Priscilla. Le chef indien s'empare de Priscilla et la jette en travers de son cheval. Priscilla se débat. Le chef remonte en selle et s'éloigne avec elle. Les autres Indiens le suivent.

Au village indien. Le chef arrive avec Priscilla, la pousse brutalement dans son tipi, puis entre. Le chef indien est Magua, l'ennemi de l'homme blanc. Il saisit la jeune fille, la brutalise et l'embrasse tandis qu'elle se débat.

Sur la colline arrive le détachement du shériff Lawson. Il descend de cheval, entend les cris de la jeune fille, entre dans le tipi, se bat avec Magua, le met K.O., aide la jeune fille à sortir, la met en selle sur son cheval, remonte et s'éloigne. Son détachement le suit.

Sin City. Le détachement arrive, le shériff aide Priscilla à descendre de cheval. Le détachement ramène le Révérend Drew. Priscilla court dans les bras de son père. Les habitants de la ville se réunissent. Le shériff Lawson emmène Priscilla dans l'hôtel de *Sin City*.

Ce soir-là, les habitants de la ville se réunissent à l'hôtel. Le shériff arrive avec Priscilla et le Révérend Drew. Les habitants les supplient de rester. L'église locale a récemment été incendiée par les Indiens sanguinaires du chef Magua. Les habitants supplient le Révérend Drew de reconstruire l'église. Il promet d'y réfléchir. Au banjo, le Révérend Drew accompagne sa fille qui chante *I Love You, Jesus*. Applaudissements enthousiastes. Un tambourin à la main, Priscilla parcourt les rangs des habitants, qui jettent des pièces de monnaie dans l'instrument. Le Révérend Drew monte au balcon de l'hôtel et prononce un discours. Lui et sa fille promettent de rester et de reconstruire l'église de *Sin City*. Les citoyens se rendent dans un grand saloon. Une fois encore, le Révérend Drew joue du banjo et Priscilla chante *Lord Welcome Me*. De nouveau, elle passe parmi les spectateurs avec son tambourin et récolte beaucoup d'argent.

On reconstruit l'église. Les citoyens donnent un coup de main, transportent le bois de construction et le matériel. Le shériff arrive et emmène Priscilla dans son chariot. Ils s'éloignent. Dans un bosquet de sapins romantique, le shériff enlace Priscilla et ils s'embrassent.

Le soir. Le saloon de *Sin City*. Priscilla chante *The Lord is my Shepherd* pendant que les piliers du saloon écoutent et admirent la charmante jeune fille. Elle passe le tambourin parmi les spectateurs. Au bar, un ivrogne essaie de l'embrasser. Le shérif Lawson intervient, la bagarre commence. Lawson met l'ivrogne K.O. Priscilla adresse un regard de gratitude à son bien-aimé.

Sur les collines qui surplombent la ville, le sinistre Magua, à cheval, observe. Il descend de cheval et rampe jusqu'à la fenêtre du saloon pendant que Priscilla tient un petit discours aux clients du bar. Elle désire que les habitants de *Sin City* forment le chœur de l'église où l'on chantera des cantiques et qu'ils donnent de l'argent pour la nouvelle église. Les citoyens approuvent et applaudissent. De l'autre côté de la fenêtre, Magua écoute et ricane avec une expression diabolique.

Sin City se métamorphose. On ne sert plus d'alcool dans le saloon de la ville. Les jeux sont interdits. Sous la direction de Priscilla, des groupes de femmes répètent des cantiques. Les travaux de l'église avancent. Enfin arrive le grand jour où l'église est terminée, et les citoyens se réunissent pour le premier office. Surplombant la scène, Magua observe, puis s'enfuit au galop.

Le soir. Les femmes de *Sin City* préparent un barbecue devant l'église. On danse un quadrille sur le parvis, le Révérend Drew joue du banjo. Priscilla tourbillonne, le shérif est son partenaire. Pendant ce temps-là, au village indien, Magua réunit ses troupes. Les Indiens aux corps peints montent à cheval et Magua les entraîne hors du village.

Le quadrille. Le shérif entraîne Priscilla dans les bois. Elle lève son visage vers lui pour qu'il l'embrasse. Il lui demande de l'épouser. Elle accepte. Brusquement, le martèlement des sabots et les cris des Indiens retentissent. Magua et ses Arapahoes assoiffés de sang dévalent la colline. Chevauchant furieusement, ils encerclent l'église et les citoyens de *Sin City* en poussant des cris sauvages. Roulement de tonnerre des sabots. Les habitants paniqués battent en retraite dans l'église pendant que les Indiens tournent autour du bâtiment au grand galop en tirant des coups de feu. Le shériff et Priscilla se précipitent dans la nouvelle église. Les Indiens resserrent leur étau autour de l'église. Coups de feu. Hurlements des blessés. Les Indiens lancent des torches enflammées sur le toit de l'église. Les habitants se postent avec leurs fusils aux fenêtres de l'église. La bataille fait rage. Les femmes rechargent les fusils. Priscilla recharge le fusil de son père. A cet instant précis, il est touché par une balle. Priscilla tue l'Indien qui a blessé son père. Puis elle lâche son fusil, se tourne vers son père et le prend dans ses bras.

Entre-temps, le diabolique Magua est descendu de son cheval et rampe silencieusement vers la porte de l'église. Il entre discrètement et bondit sur Priscilla, place sa main sur la bouche de la malheureuse et l'entraîne au dehors. Il la jette sur le dos de son cheval, bondit en selle et s'enfuit au moment précis où le shériff Lawson apparaît dans l'encadrement de la porte. Magua vise le shériff et la balle l'atteint à l'épaule. Lawson vacille, mais ne tombe pas. Il titube vers Magua, qui s'enfuit avec l'infortunée Priscilla.

Blessé mais résolu, le shériff saute sur son cheval, et s'élance à la poursuite de son rival. Par monts et par vaux, il poursuit l'Indien en fuite et la jeune fille. Ils arrivent près d'un torrent au pied des collines et s'arrêtent. Ensanglanté, au bord de l'évanouissement,

Lawson s'arrête aussi, puis tombe à terre. Magua descend aussitôt de cheval et brandit un tomahawk menaçant. Lutte sauvage entre les deux hommes, ils roulent à terre, s'empoignent, Priscilla regarde, horrifiée. Ils tombent dans le torrent. Magua bondit sur le shérif affaibli et tente de le noyer, mais le shérif se libère.

Trop faible pour résister davantage, le shérif s'écroule dans l'eau. Poussant un cri de triomphe, Magua lève son tomahawk pour l'achever. Brusquement, un coup de fusil brise le silence. Magua s'effondre dans l'eau. Priscilla, un fusil fumant à la main, descend de cheval et se précipite vers le shérif. Epuisé mais vaillant, le shérif enlace sa bien-aimée. Ils se redressent et s'éloignent en titubant. Magua gît dans le torrent, mort.

Pendant ce temps, à *Sin City*, la bataille fait rage autour de l'église. Les blancs prennent lentement le dessus. Lancent une contre-attaque. Combats au corps à corps. De nombreux Indiens battent en retraite. D'autres sont capturés par les habitants de la ville. On emmène une douzaine de sauvages vers la prison. Au loin arrivent Priscilla et le shérif Lawson. En travers de leur cheval, on distingue le cadavre de l'infâme Magua. Les citoyens de *Sin City* poussent des hourras. Priscilla court dans les bras de son père.

Epilogue. Un dimanche matin éblouissant. Des chants sortent de l'église. A l'intérieur, Priscilla dirige les chœurs qui chantent *Oh Gentle Jesus*. L'église est pleine de citoyens qui écoutent, recueillis. Sur les bancs du fond, à l'écart des autres paroissiens, une douzaine d'Indiens captifs baissent la tête d'un air coupable. Le shérif s'approche de Priscilla.

Elle lève les yeux vers lui, et lui adresse un regard d'amour éperdu. Fondu au noir.

Et voilà le sale boulot. Mon scénario sans une ligne de moi, une histoire totalement différente, à mille lieues de mon projet initial. J'éclatai de rire. C'était une plaisanterie. Quelqu'un se payait ma tête. Ce n'était pas possible.

Je rentrai dans la maison et m'assis pour fumer des cigarettes, prenant brusquement conscience de la pluie, de son doux bruit sur le toit à bardeaux, de l'odeur douceâtre qui entrait par la porte de la maison. Il n'y avait pas à tortiller, Edgington avait raison. La seule solution consistait à retirer mon nom du générique. Je saisis le téléphone et composai le numéro de Cyril Korn.

« Ouais ? » brailla-t-il.

« Salut, Korn. C'est moi. Vous avez lu le scénario ? »

« Beaucoup aimé. »

« Vous êtes cinglé. »

« C'est un grand western. »

« Retirez mon nom. »

« Quoi ? »

« Retirez mon nom de cette monstruosité. Vous entendez ? Je ne veux rien avoir à faire là-dedans. »

« Comme tu veux, fiston. En tout cas, voilà une bonne nouvelle pour Velda. Elle va ramasser tout le bénéfice de l'opération. »

« Je lui laisse volontiers ça. »

Je raccrochai.

La pluie arrivait par vagues, fouettant les feuilles des eucalyptus, creusant des fleuves miniatures dans la cour, lesquels s'écoulaient ensuite dans le caniveau. Je bus un verre de vin. Edgington sortit de la cuisine. Il avait entendu ma conversation avec Korn.

« Tu as bien fait », dit-il. « Ne serait-ce que pour toi. Tu n'avais pas le choix. Si tu m'avais écouté, ça ne se serait jamais passé. »

« Que veux-tu dire ? »

« Tu aurais dû t'inscrire à la Guilde. Ça fait trois mois que je te le répète. »

Le vent froid et humide s'engouffra par la porte d'entrée, glaçant la pièce. Edgington alla à la cheminée pour allumer les bûches à gaz. Il sortit un sachet de tabac de sa poche.

« Tiens », dit-il en me le lançant.

C'était de la marijuana. Il y avait des feuilles de papier à cigarette dans le sachet. J'avais fumé de la marijuana une seule fois auparavant, à Boulder, et ça m'avait rendu malade. Le moment était idéal pour être de nouveau malade. Je roulai une cigarette. Nous nous assîmes l'un en face de l'autre en aspirant profondément la fumée. Edgington rit. Je ris aussi.

« Tu es un sacré putain de crapeau angliche de merde à la con », je lui dis.

Il opina du chef. « Et vous, monsieur, vous n'êtes qu'un misérable petit roquet rital. »

Puis nous sombrâmes dans le silence en fumant notre herbe. Je ramassai le manuscrit.

« Si on en faisait quelque chose », dis-je.

« Si on le brûlait. »

Je le portai jusqu'à la cheminée et le lâchai dans les flammes. L'herbe commençant à me secouer, j'enlevai ma chemise.

« Jouons aux Indiens », dis-je. « Brûlons-la sur le bûcher. »

118

« Super », dit Frank en retirant sa chemise.

« Maintenant, enlevons nos pantalons », dis-je. On s'est débarrassé de nos pantalons en riant comme des fous. Bientôt nous étions nus et nous dansions en cercle. Nous poussions ce que nous croyions être des cris de Sioux. Des nuages, tomba un coup de tonnerre. Nous roulions sur le plancher en glapissant. Edgington a bu une bière. J'ai bu un verre de vin. Le bruit de la pluie était assourdissant. J'ai filé dehors comme une fusée et nous avons dansé sous la pluie en nous tenant les mains en riant. J'ai filé dans la maison pour finir mon verre de vin et je suis ressorti aussi sec. Edgington s'est rué à l'intérieur pour boire une gorgée de bière et m'a rejoint sous la pluie. On s'est allongé sur l'herbe, roulé dans l'eau de pluie, en hurlant à chaque coup de tonnerre. L'espace d'un instant, une voix de femme domina le bruit de la tempête. Elle venait de la maison voisine.

« La honte soit sur toi, Frank Edgington », hurlait-elle. « Enfile ton pantalon avant que je n'appelle la police. »

Frank se releva et tourna vers elle son cul nu comme la main.

« Voilà pour toi, Martha ! »

Nous avons filé dans la maison. Debout devant la cheminée, dégoulinant d'eau, nous avons regardé les cendres du scénario de Velda s'élever par le conduit. Quand nos regards se sont croisés, nous avons souri. Après quoi nous avons accompli le dernier rituel de notre cérémonie démentielle : nous avons pissé sur le feu.

Il s'est alors passé une chose curieuse. Je

regardais les cheveux trempés et le corps dégoulinant d'Edgington, et il ne m'a pas plu du tout. Notre nudité avait quelque chose d'obscène, ainsi que le scénario calciné, le plancher couvert de pluie, nos corps frissonnants, le sourire insolent sur les lèvres d'Edgington, si bien que je reculai loin de lui et lui reprochai tout. C'était lui qui m'avait présenté à Cyril Korn, c'était Cyril Korn qui m'avait mis à la colle avec Velda van der Zee, c'était Edgington qui s'était payé ma tête pendant toutes ces semaines où j'avais travaillé sur le scénario. Maintenant cet homme me déplaisait profondément. Il me dégoûtait. Des pensées similaires bouillonnèrent certainement dans son cerveau, car je remarquai brusquement l'acuité hostile de son regard. Nous n'avons pas dit un mot. Plantés l'un en face de l'autre, nous nous haïssions cordialement. Nous étions à deux doigts de nous battre. J'ai ramassé mes vêtements, je suis rentré dans ma chambre et j'ai claqué la porte.

CHAPITRE QUINZE

Après cela, ce fut la guerre. Quand il travaillait aux studios, je traînais dans la maison, je buvais du vin en écoutant la radio. La pluie tombait régulièrement depuis des jours et des jours. Je m'asseyais à mon bureau dans ma chambre et j'essayais d'écrire. Mais rien ne venait. C'était la maison, la maison d'Edgington. Je devais m'éloigner de lui. Chaque fois qu'il revenait des studios, je faisais semblant de taper à la machine dans ma chambre. Il restait peu de temps, ressortait presque aussitôt. Un jour, je découvris un vieil exemplaire du *New Yorker* dans une pile de revues. Il contenait une nouvelle d'Edgington. Je le déchirai.

Je commençai à sortir. Je montais en voiture et conduisais sous la pluie. Ces orages étaient exaspérants. Les rues ressemblaient à des rivières. Les couvercles d'égout sautaient en l'air, propulsés par la crue des eaux. Les arbres s'abattaient sur la chaussée. Wilshire était protégé par des sacs de sable. Les rues étaient désertes. J'allais à Hollywood, je m'installais dans un bar de Wilcox, je buvais du vin, je jouais au flipper. Parfois je me garais dans le parking de Musso-Frank, et je pataugeais dans les flaques d'eau jusqu'au restaurant. Je ne connaissais personne. Je mangeais seul en ruminant ma haine de cette ville. J'allais juste à côté dans la librairie de Stanley Rose. Personne ne me connaissait. Je vagabondais comme un oiseau cherchant des miettes. Mme Brownell, Abe Marx et Du Mont me manquaient. Le souvenir de Jennifer Lovelace faillit me briser le cœur. Connaître ces quelques personnes m'avait donné l'impression de connaître des milliers d'habitants de Los Angeles. J'allai en voiture à Bunker Hill, me garai devant l'hôtel, mais je ne pus me résoudre à entrer. Brusquement j'eus un rêve, le rêve merveilleux d'un roman. J'allais raconter ma liaison avec Mme Brownell. Je sentais un bon sujet. Je le savourais déjà. Aussitôt, je cessai de m'apitoyer sur mon sort. La vie continuait, il y avait une machine à écrire, du papier et des yeux pour les voir, il y avait des pensées pour les faire vivre. Je restai assis dans ma voiture au sommet de Bunker Hill, sous la pluie battante, et le rêve m'enveloppa ; je savais ce qu'il me restait à faire. J'irais à Terminal Island, je trouverais une cabane de pêcheur sur la plage sablonneuse, je m'installerais là et j'écrirais mon roman sur Helen Brownell et moi. Je passerais des mois dans cette cabane et les pages s'empileraient devant moi pendant que je fumerais une pipe de Meerschaum et redeviendrais enfin un écrivain.

Je comptais plier bagages et déguerpir avant le retour d'Edgington, mais quand j'arrivai devant son bungalow, je vis sa voiture stationnée dans la rue. Je descendis de voiture et courus sous la pluie jusqu'à la maison.

Allongé sur le divan, Frank lisait un livre.
« Salut », me dit-il.

Je passai devant lui pour rejoindre ma chambre et commençai à faire mes valises. Au bout d'un moment il se leva et se campa dans l'encadrement de ma porte, un magazine à la main.

« Je t'apporte de grandes et joyeuses nouvelles », me dit-il avec un sourire en me tendant le magazine. C'était *Daily Variety*. Je l'ouvris et vis un gros titre entouré au crayon rouge :

Velda van der Zee, qui a écrit le scénario de *Sin City* pour Liberty Films, va également s'occuper de la mise en scène, déclare le producteur Jack Arthur. Le casting du film sera terminé à la fin de cette semaine, puis le tournage commencera en Arizona.

Je fus ébranlé, mais cachai mon trouble à Edgington et lui lançai le magazine. « Ça te fait plaisir, pas vrai ? » lui dis-je. Il sourit et haussa les épaules.

« *C'est la vie.* » (1)

Je me remis à ranger mes affaires, remplis une valise et la portai à la voiture, où le reste de mes biens — machine à écrire, livres, vêtements — s'entassaient sur la banquette arrière. J'étais prêt à partir définitivement, pourtant il me restait une chose à régler. Debout à côté de la voiture, je réfléchis. Je ne reverrais probablement jamais Edgington. Comment lui laisser un souvenir impérissable de mon départ

----

(1) En français dans le texte.

en ce jour de pluie ? Je finis par avoir une idée et retournai vers sa maison. Il était sur le divan.

« Je pars », dis-je.

Il se leva et me tendit la main. « Bonne chance, le rital. »

Je le frappai au visage et il s'écroula sur le divan. Il resta assis là, tamponnant son nez qui saignait. Je retournai à ma voiture et démarrai. Je n'aurais pas dû frapper Edgington. Il s'était montré hospitalier, amical, généreux, aimable. Mais je ne supportais plus son arrogance. Il réussissait trop facilement à mon goût. Il n'avait eu que ce qu'il méritait. Je n'éprouvais aucun remords. C'est la vie. J'étais navré pour son saignement de nez, mais il ne l'avait pas volé. Quant à Velda van der Zee, qu'elle aille se faire mettre. Je n'avais rien à tirer d'un metteur en scène comme elle. D'ailleurs, des metteurs en scène, il n'y avait quasiment que ça en ville.

CHAPITRE SEIZE

Je descendis Avalon Boulevard et obliquai vers le sud dans Wilmington. Le soleil se couchait presque quand je passai sur le pont qui enjambait le gros banc de sable connu sous le nom de Terminal Island. La pluie ayant chassé le sable de la route, je roulai sur des pavés jusqu'au petit campement de pêcheurs situé à un mille environ des conserveries. Il y avait six bungalows rustiques, alignés face au chenal, à une centaine de mètres de la plage. Aucun des bungalows ne semblait occupé. Je passai lentement devant eux en voiture. Sur chaque porche, il y avait une pancarte « A Louer ». Je remarquai de la lumière dans la dernière maison. En tout point semblable aux autres, cette maison était peinte en vert sombre et ruisselait de pluie. La porte d'entrée était ouverte, il y avait de la lumière à l'intérieur. Je m'arrêtai et courus sous la pluie jusqu'au porche.

En dix minutes, je louai l'un des bungalows et emménageai. Dans la cabane du milieu, une chambre à coucher, un salon, une cuisine et une salle d'eau. Vingt-cinq dollars par mois. Je fis un rapide calcul et réalisai que j'avais suffisamment d'argent pour habiter là pendant dix ans. J'avais enfin réussi.

L'endroit était un vrai paradis, le Pacifique Sud, Bora Bora. J'entendais la mer. Ses eaux murmuraient, disaient ch-ch-ch, car les brisants qui protégeaient l'île retenaient les flots, donnant l'impression d'une perpétuelle marée basse. Les nuits étaient sublimes. Allongé sur mon petit lit de camp, je sentais le souvenir de Velda van der Zee s'effacer peu à peu. Au bout de quelques jours, il avait complètement disparu. J'écoutais le bruit de la mer et je sentais mon cœur en paix. Parfois, j'entendais le cri rauque des phoques. Debout à la porte, je les regardais batifoler en eau peu profonde, trois ou quatre gros gabarits jouant dans les vagues, aboyant comme pour rire. La cité était loin. Je ne pensais pas à écrire. Mon esprit était aussi stérile que la grève. J'étais Robinson Crusoé, perdu dans un monde lointain, en paix, respirant le bon air tonique et salé.

A l'aube, je marchais nu-pieds dans l'eau, sur le sable humide, un mille jusqu'au campement des conserveries pleines d'ouvriers, hommes et femmes, qui déchargeaient les bateaux de pêche, vidaient les poissons et les préparaient. Ces ouvriers qui travaillaient dans de grands bâtiments en tôle ondulée étaient pour la plupart des Japonais ou des Mexicains de San Pedro. Il y avait deux restaurants. La nourriture était bonne et bon marché. Parfois j'allais au bout de la jetée jusqu'au quai du ferry-boat, où partaient les bateaux traversant le chenal vers San Pedro. L'aller-retour coûtait vingt-cinq *cents*. Je me sentais dans la peau d'un millionnaire chaque fois que je quittais ma résidence et j'embarquais pour Pedro. Je louais une bicyclette et me baladais dans

126

les collines de Palos Verdes. Je découvris une bibliothèque publique et fis une provision de livres. De retour à ma cabane, j'allumais le feu dans le poêle à bois, je m'installais bien au chaud et je lisais Dostoïevsky, Flaubert, Dickens et les autres géants de la littérature. Je ne manquais de rien. Ma vie était une prière, un acte de grâce. Ma solitude, un enrichissement. Je me trouvais supportable, tolérable, presque bon. Je me demandais parfois ce qui était arrivé à l'écrivain qui avait débarqué ici. Avais-je écrit quelque chose avant de disparaître ? Je touchai ma machine à écrire, caressai son clavier. C'était une autre existence. J'étais ici pour la première fois de ma vie. Je n'en partirais jamais.

Ma propriétaire était japonaise et enceinte. Elle marchait très dignement à petits pas tranquilles, coiffait ses cheveux noirs en nattes. Elle m'apprit comment m'incliner pour saluer. Nous nous inclinions sans arrêt. Parfois nous marchions sur la plage. Nous nous arrêtions, joignions nos mains et nous inclinions. Puis elle partait de son côté et moi du mien.

Un jour, je découvris une barque échouée sur le rivage. J'y montai et m'éloignai à la rame, pas très loin car je me ébrouillais très mal avec les avirons. Mais je fis des progrès et réussis à traverser le chenal à la rame jusqu'aux rochers de San Pedro. J'achetai un équipement de pêche et des appâts, je m'éloignais à une centaine de mètres de la plage devant ma maison, et je pêchais. J'attrapais des maquereaux et des merlans, et une fois un flétan. Je les ramenais chez moi, je les cuisais ; comme ils étaient infects, je les lançais sur le sable et regardais les mouettes fondre sur eux pour les emporter plus loin. Un jour, me dis-je, il faudra que j'écrive quelque chose. J'écrivis une lettre à ma mère, mais sans pouvoir inscrire la date en haut de la feuille. J'avais perdu le fil des jours. J'allai voir ma Japonaise et lui demandai la date.

« Le quatre janvier », me dit-elle.

Je souris. J'étais là depuis deux mois, mais il me semblait y habiter depuis deux semaines.

CHAPITRE DIX-SEPT

Un après-midi, je somnolais quand j'entendis une voiture arriver. J'ouvris la porte et vis une longue voiture de tourisme rouge s'arrêter devant la maison voisine. Un blason royal ornait le capot de la voiture — une couronne encadrée de lions couchés en rouge et or. Et en dessous, cette inscription : Duc de Sardaigne. Le conducteur de la voiture coupa le contact et descendit. Il était petit et râblé, ses cheveux noirs coupés en brosse. Il était si musclé qu'il paraissait en caoutchouc ; ses bras ressemblaient à des conduites d'égout rouges, ses jambes étaient grosses comme des troncs d'arbre. Dès qu'il me vit, il me sourit.

« Ça gaze ? » me demanda-t-il.

« Ça va, ça va. Et vous ? »

« Ça baigne. Vous habitez ici ? »

« Oui. »

« Nous voisins alors. » Il s'avança vers moi et me serra la main. Je fis un signe de tête vers sa voiture.

« Duc de Sardaigne, ça veut dire quoi ? »

« Je suis fils du prince de Sardaigne. Et aussi champion du monde. »

« Vous êtes haltérophile ? »

« Loutteur. Champion dou monde. Je viens ici pour m'entraîner. »

Il se dirigea vers la remorque accrochée à sa voiture. C'était un véhicule à deux roues aux énormes rayons, en fait une grosse charrette. S'empilaient à l'intérieur des matelas de gymnastique, du matériel de musculation, des accessoires divers. Il entreprit de décharger la charrette.

« Quoi ton nom ? » me demanda-t-il.

Je lui dis.

« Italiano ? »

« Bien sûr. »

Il sourit. « C'est bien. »

Je le regardai un moment décharger sa charrette. Puis je rentrai. Je ne m'étais pas assis devant ma machine à écrire depuis des semaines. J'entamai une lettre pour ma mère. Brusquement, je sentis un regard intense vrillé sur ma nuque. Je me retournai. Sur le seuil de la pièce, le Duc m'observait.

« Entrez », dis-je.

Il entra, puis inspecta méticuleusement la chambre, les murs, l'évier, et enfin la machine à écrire.

« Ecris encore », me dit-il en me faisant signe de m'asseoir. « N'arrête pas. » Il s'installa en face de moi et je me remis à ma lettre.

« Quoi tu écris ? » demanda-t-il.

« Des nouvelles, des scénarios. Parfois de la poésie. »

« Tu gagnes de l'argent ? »

Je ris. « Naturellement. Beaucoup d'argent. »

Il eut un sourire dubitatif et se leva. « Maintenant je pars. Le travail m'appelle. »

Une demi-heure plus tard, j'entendis un grincement de roues quand le Duc de Sardaigne tira la charrette vide sur la plage. Il était nu-pieds et en maillot de lutteur, attelé à la charrette par une lanière fixée à sa taille et une autre passée à son front. Il tirait la charrette sans effort, les grosses roues s'enfonçaient dans le sable meuble. Quand il eut parcouru quelques mètres, il saisit une pelle dans la charrette et entreprit de remplir de sable le véhicule. Je sortis pour le regarder. La sueur jaillissait sur son dos et ruisselait sur son cou. Il travaillait furieusemnt.

« Que faites-vous ? » lui demandai-je.

« Entraînement », haleta-t-il sans interrompre le va-et-vient de sa pelle. La charrette ne tarda pas à être pleine de sable. Il lança la pelle au sommet du tas, ajusta son harnais autour de ses reins, fixa l'autre lanière à son front, poussa un grognement sonore et se mit à tirer. Les roues s'enfonçaient dans le sable, la charrette ne bougeait pas. Il luttait de toutes ses forces ; ses pieds glissèrent, il tomba, se releva, tira de nouveau. J'avais pitié de lui. Je bondis en avant pour l'aider, collant mon épaule contre l'arrière de la charrette. Laquelle commença à bouger. Ebahi, le Duc se retourna et me vit. Plein de rage, il me saisit sous les aisselles et me jeta sur le sable. J'atterris sur le dos avec un bruit mat. J'en eus le souffle coupé.

« Non », dit-il en brandissant le poing. « Va-t'en. Je m'entraîne. »

Je restai assis, pantelant, le regardai remettre son harnais et faire un nouvel essai. Le Duc de Sardaigne ! Encore un givré. Je lui tournai le dos et rentrai chez moi. Une heure plus tard, je sortis sur le porche et l'aperçus au loin sur la plage. Il semblait à peine bouger, telle une tortue lointaine. Il mit deux heures pour ramener la charrette devant sa maison. Son corps était couvert de sueur. Du sable se mêlait à la sueur, il semblait frigorifié, à bout de forces. Je le regardai trotter jusqu'au rivage, puis plonger dans l'eau. Il jouait dans l'océan comme un gros poisson trapu. Il faisait presque nuit quand il sortit de l'eau et revint vers sa maison. Je le regardai s'essuyer avec une serviette.

« Tu aimes les spaghetti ? » demanda-t-il.

« Oui. »

« Je m'en occupe. »

Le lendemain, il entendit le bruit de ma machine à écrire et entra chez moi. Il s'assit et me regarda pianoter sur les touches.

« Tu écris quoi maintenant ? »

« Une lettre. »

« Tu écris de la poésie ? »

« Tout le temps. »

« C'est combien pour une poésie ? »

Je levai les yeux vers lui. Tout compte fait, il ne me plaisait pas trop. La veille, il m'avait maltraité. Et puis il y avait son sourire insolent et son titre ronflant. J'allais retourner sa stupidité contre lui.

« Dix dollars », dis-je. « Dix dollars les dix vers. Sur quel sujet voulez-vous que je compose ? »

« J'ai femme à Lompoc. Elle aimer la poésie. »

« L'amour ? » fis-je.

« Ouais. »

132

Je me tournai vers la machine à écrire, convoquai la muse et commençai à taper :

O mon amante des Nouvelles Hébrides
Ne me demande pas de repousser ta confiance.
L'amour est une strophe dans les cieux oubliés.
Apporte-moi les heurs et malheurs de rêves
[épars.
Mon cœur aspire au *fin de siècle*,
A cette vision de jours assiégés.
Ne désire pas, ô mon amour ! Contemple ces
[bastions !
Fuis le vaurien, plains seulement l'amour,
Et quand ta générosité sera comblée, en retour
Crois à ce qui est en mon cœur.

Je m'éclaircis la voix et lus mon poème au Duc.

« Souperbe », dit-il. « Je prends. Donne-moi crayon. »

Je lui tendis un crayon. Il posa la page de poésie devant lui et signa sous le dernier vers : « Mario, Duc de Sardaigne ».

« Tu as enveloppe ? demanda-t-il.

Je pris une enveloppe sur mon bureau et la glissai dans la machine à écrire. « Envoie à Jenny Palladino, 121 Celery Avenue, Lompoc. »

Je tapai l'enveloppe et il partit avec le tout.

A l'heure du dîner, il revint avec une soupière pleine de spaghetti blancs. J'en enroulai autour de ma fourchette et les mangeai. Le goût était terrifiant — sauce à l'ail, oignons et piments. Je ne réussis pas à avaler ma bouchée. Je bondis sur mes pieds pour prendre une bouteille de vin. Le Duc rit.

« Ça rend costaud », dit-il. « Sois un homme. »

Je ne pus rien manger. Il m'enleva mon assiette et se mit à dévorer méthodiquement, avalant tout jusqu'au dernier spaghetti. Je remplis deux verres et allumai une cigarette.

« Encore un peu de poésie ? »

Il haussa les épaules. « Encore une — peut-être. »

Je me tournai vers ma machine à écrire et me mis facilement au travail : dix vers. Les bras pliés, le Duc regardait.

« Vous voulez l'entendre ? » lui demandai-je.

« Sûr. J'écoute. »

Je lus mon poème :

O tombereaux dans la nuit devant la mer
[lugubre,
Des oiseaux muets sur tes roues trempées de
[sel.
La pesanteur attire les nuages vers la terre,
Qui cherchent les traces des roues.
Mouettes piailleuses, poissons bondissants, la
[lune apparaît.
Où sont les enfants ?
Qu'est-il arrivé aux enfants ?
Mon amour est au loin, les enfants sont partis.
Un bateau noir passe à l'horizon.
Que s'est-il passé ici ?

Le Duc me prit le poème des mains et ourla ses lèvres en une moue dubitative.

« Il ne te plaît pas ? » je lui demandai.

« Je te donne sept dollars. »

Je lui arrachai le poème. « Pas question. C'est un bon poème. L'un de mes meilleurs. Ne mégote pas. S'il ne te plaît pas, dis-le. »

Il soupira. « Mets-la dans la boîte à lettres. » Il parlait de l'enveloppe.

Il sortit de sa poche un rouleau de billets et en tira un de dix dollars. Je le remerciai et le rangeai. Me tournant vers la machine à écrire, je lui dis :

« Maintenant, Duc, je vais t'offrir un petit bonus. Je suis sûr que ça va te plaire. »

Je me mis à taper l'un de mes sonnets préférés de Rupert Brooke, *la Colline* :

Haletants, nous nous élançâmes sur la colline
        [venteuse,
Pour rire au soleil, nous embrasser dans l'herbe
        [tendre.
Tu as dit : « Dans la gloire et l'extase nous
        [passons ;
Le vent, le soleil et la terre demeurent, et les
        [oiseaux chanteront encore,
Quand nous serons vieux... » « Et quand nous
        [mourrons,
Tout sera fini pour nous, mais la vie brûlera
        [toujours
En d'autres amants, sur d'autres lèvres, » dis-je,
« Cœur de mon cœur, le présent est notre
        [paradis éternel ! »
« Nous sommes la crème de la Terre, qui avons
        [appris sa leçon ici-bas.
La vie est notre chant. Nous sommes restés
        [fidèles ! »
« Dans les ténèbres nous descendrons d'un
        [pas résolu,
Couronnés de roses !... » Nous étions fiers,
Et rieurs, de connaître aussi courageuses
        [vérités.
Mais soudain tu as pleuré en te détournant.

Quand j'eus fini de lire, le Duc plissa les lèvres d'un air agacé, m'arracha le papier des mains, le relut, écarquilla les yeux en le tenant froissé dans son poing.

« Saloperie ! » s'écria-t-il en transformant la feuille en une boule de papier qu'il jeta par terre. Il était tout petit, mais quand il se mit debout, il devint aussi énorme qu'une tortue géante. Soudain ses mains se glissèrent sous mes aisselles, il me souleva vers le plafond et me secoua violemment. Il tourna vers moi son visage livide et ses yeux sombres qui brillaient de rage.

« Personne trompe le Duc de Sardaigne. *Capisc* ? » Ses doigts me lâchèrent et je tombai lourdement sur mon fauteuil. En partant, il avisa la boule de papier froissé sur son chemin, donna un grand coup de pied dedans et sortit.

CHAPITRE DIX-HUIT

Tous les jours, le Duc tirait sa charrette de sable sur la plage jusqu'aux conserveries situées à un mille, et revenait. Un après-midi, je le chronométrai. Il mit deux heures. Chaque fois, il revenait dans le même état d'épuisement et s'écroulait à plat ventre sur le sable. Je fis plusieurs tentatives d'approche. Je lui souriais, je lui disais « Salut », mais il était toujours vexé — jusqu'à un après-midi où, ruisselant de sueur, il me dit :

« Demain je combats. Olympic Auditorium. Tu viens. » Stupéfait, j'allais dire quelque chose, mais il me saisit la mâchoire. « Demain ! Compris ? »

J'acquiesçai. « Contre qui dois-tu te battre, Duc ? »

« Un animal », dit-il. « Nommé Richard Cœur de Lion. »

« Il est bon ? »

« Et comment ! Mais ça empêchera pas moi de le bousiller. »

Il trottina vers l'océan et plongea têtc la première, gai comme un marsouin. Je n'avais pas la moindre envie d'assister à ce match de lutte. Plus j'y pensais, plus j'en voulais au Duc, mais il existait une façon fort simple d'échapper à cette corvée. Je prendrais ma voiture, j'irais à Wilmington voir un film.

Duc arriva, ruisselant d'eau, et s'essuya sur le porche.

« Nous prendre ma voiture *domani* », dit-il. « Départ six heures. Sois prêt. » Il entra dans sa maison.

Je voulais me tenir à l'écart de ce sacré combat de lutte. Toute la journée, je ruminais ma décision, et au moment d'aller me coucher je m'étais tellement monté la tête que je ne pus trouver le sommeil. Toute la nuit, je me tournai et me retournai. A deux heures du matin, n'y tenant plus, je me levai et m'habillai rapidement. Sur la pointe des pieds, je marchai jusqu'à la porte et sortis, prenant grand soin de ne pas faire grincer l'écran grillagé. Je rejoignis ma voiture à pas de loup et me glissai derrière le volant. Alors que je mettais le contact, une main saisit ma gorge. Tournant la tête, je vis le Duc debout près de la portière.

« Où tu vas ? » demanda-t-il.

« Acheter une barre de chocolat, » improvisai-je.

« Trop tard pour les barres de chocolat », fit-il. « Retourne au lit. »

Je sortis de la voiture et rentrai chez moi. Il me suivit comme un flic infatigable. Je claquai la porte derrière moi et fermai à clef. J'étais tellement furieux que je l'aurais volontiers tué. J'ouvris violemment la porte et hurlai :

« Va te faire foutre, espèce d'italo merdeux ! J'veux plus te voir ! Pas question que j'assiste à ton combat de demain — même pas pour te voir prendre une peignée ! T'es un minable ! T'es un rigolo, un paumé, un crétin ! J'vais t'dire à quel point t'es con ! T'es con au point d'avoir même pas aimé un poème de Rupert Brooke. J't'ai eu, espèce de guignol. Du pur Brooke, et ça t'a même pas plu ! »

Je claquai la porte, donnai un tour de clef, puis allai me coucher.

Le lendemain matin, je le découvris assis sur mon porche. Il m'adressa un regard contrit.

« Fâché ? » demanda-t-il.

« Non. »

« Tu es mon ami. Tu me plais. »

« Moi aussi, je t'aime bien. »

« Je vais me battre tout seul. »

« C'est tellement important ? »

« Les fans ne m'aiment pas. J'ai besoin de quelqu'un dans mon coin. »

Je soupirai. « O.K., Duc, je vais t'accompagner. »

Il s'avança vers moi, posa sa main sur ma nuque et me secoua gentiment. « *Grazie* », me dit-il en souriant.

A en croire les journaux, les matches de lutte de ce jeudi soir attirèrent cinq mille spectateurs. Le Duc de Sardaigne avait raison — tous les gens présents dans la salle de sports le détestaient, excepté moi. Dès que nous descendîmes de sa voiture dans le parking de l'Olympic Auditorium, il devint le point de mire d'une foule de plus en plus hostile. Il y avait des Mexicains, des Noirs, des gringos qui l'insultaient, le bombardaient de toutes sortes de projectiles, le menaçaient. Marchant juste derrière lui, je sentais les déferlantes de la haine s'abattre sur nous.

Comme nous franchissions une porte latérale réservée aux lutteurs, un énorme Noir se campa soudain devant nous et plaqua une tarte au citron sur le visage du Duc. Le Duc de Sardaigne ne se démonta pas. Il chargea comme un taureau, plongea, enserra les jambes du noir dans un ciseau mortel et le plaqua. Puis le Duc s'assit sur lui, essuya la tarte au citron de son visage et en enduisit le visage du noir. Instantanément un raz de marée humain convergea sur les deux hommes pour les séparer. La police arriva, puis escorta à toute vitesse le Duc jusqu'à son vestiaire. Le Duc était maintenant en pleine forme, prêt à se battre contre Richard Cœur de Lion.

Quand sonna l'heure du combat, je suivis mon gladiateur dans l'arène et l'accompagnai jusqu'au ring. La haine qu'il suscitait me glaçait les os. Je ne comprenais pas pourquoi les spectateurs le détestaient à ce point. Pourtant, il n'avait pas besoin de ricaner aussi méchamment ou de leur renvoyer des gestes aussi obscènes. Une femme bondit de son siège et le gifla. Le Duc la fusilla du regard et lui cracha au visage. Plusieurs employés du service d'ordre se réunirent près du ring pour le protéger tandis qu'il montait entre les cordes. Il arpentait le ring en brandissant son poing ; la foule hurlait de rage et une fois de plus, une pluie d'objets divers s'abattit sur lui. L'arbitre arriva alors et lui demanda de s'asseoir dans son coin. Le Duc obtempéra et les spectateurs se calmèrent un peu.

Au bout d'un moment, une clameur approbatrice s'éleva de la foule. Les applaudissements et les coups de sifflets éclatèrent quand Richard Cœur de Lion apparut. Il portait un peignoir de soie blanc. Ses chaussures étaient bleu azur, sa superbe crinière blonde, soigneusement coiffée, descendait jusqu'à ses épaules. Il était magnifique, la foule l'adorait. Il retira son peignoir blanc, exhibant un maillot bleu ciel. Il s'inclina cérémonieusement devant tous les spectateurs ravis. Puis, avec une ostentation calculée, il s'agenouilla au centre du ring, fit le signe de croix, inclina la tête, ferma les yeux et pria. Brusquement, le Duc bondit de son coin et lançant en avant ses deux pieds, allongea Richard sur le sol. La foule se métamorphosa en une bande de lions féroces. On jetait des objets — des objets comme des chaises et des bouteilles, des fruits et des tomates. Je compris alors pourquoi tout le monde détestait cet homme. Il était l'ennemi.

Le drame était joué d'avance. Le Duc ne pouvait pas gagner sur ce ring. Il était là pour être puni, car il incarnait le diable, et Richard Cœur de Lion, le parangon de pureté, finirait bien sûr par le terrasser. Voilà pourquoi les spectateurs avaient payé.

CHAPITRE DIX-NEUF

Quand le combat commença, les deux lutteurs se faisaient face au centre du ring. Le Duc : un mètre cinquante-cinq et cent dix-sept kilos. Richard Cœur de Lion : un mètre quatre-vingt-seize, cent dix-sept kilos. Ils tournaient l'un autour de l'autre, cherchant une prise. Soudain, le Duc glissa entre les jambes de Cœur de Lion et saisit les longs cheveux du colosse. Il se laissa tomber comme une tonne de charbon. Le Duc bondit aussitôt sur lui et réussit à placer un ciseau autour de son cou. Cœur de Lion donnait des ruades désespérées pour se libérer, son visage virait au bleu. La foule était debout, hurlant de rage. Une femme passa le bras entre les cordes et frappa plusieurs fois le Duc au visage avec son sac à main. La foule l'encourageait. Deux autres femmes montèrent sur le ring, retirèrent leurs chaussures et en frappèrent de toutes leurs forces le corps râblé de l'Italien, l'obligeant à desserrer son ciseau autour du cou de Richard Cœur de Lion.

L'arbitre fit évacuer le ring et les deux lutteurs se retrouvèrent de nouveau face à face. Cette fois, Cœur de Lion eut l'avantage : il hissa le Duc au-dessus de sa tête, le fit tourner de plus en plus vite, puis le lança violemment à terre. La foule exultait. Le Duc restait immobile, apparemment inconscient. Cœur de Lion le souleva de nouveau, le porta au bord du ring et le balança par-dessus les cordes dans le giron de trois femmes assises au premier rang. Duc semblait complètement dans les vapes. Les femmes le firent tomber par terre et le piétinèrent. Il rampa pour leur échapper, se redressa en vacillant et remonta péniblement sur le ring, le visage en sang.

L'arbitre siffla et aida le Duc à rejoindre son coin. On appela un médecin. Il essuya le sang, déclara que le Duc n'était pas grièvement blessé et que le combat pouvait donc continuer. Le Duc se releva avec difficulté, tellement sonné qu'il errait sur le ring comme dans un banc de brouillard. De l'autre côté du ring, Cœur de Lion prit son élan, visa et se rua tête la première sur l'estomac du Duc. Lequel tomba une fois de plus. Cœur de Lion plongea aussitôt sur le corps inerte, saisit le pied du Duc et le plia en arrière avec une force terrifiante. La foule fascinée roucoulait de plaisir. L'arbitre se pencha pour voir si les épaules du Duc avaient touché le sol. Cœur de Lion triomphait ; enfonçant toujours le pied du Duc dans ses reins, il adressait des signes de la main à la foule, et la foule lui rendait son salut. Je ne m'inquiétais pas tant de la défaite du Duc que de sa mort, car il gisait immobile, les yeux clos, le souffle court.

Soudain il attaqua. Ses bras courts et trapus s'élancèrent vers les boucles blondes de Cœur de Lion. L'horreur s'empara de la foule. Un rugissement de douleur emplit l'auditorium quand les poings de Duc serrèrent deux grosses mèches de cheveux dorés et repoussèrent

Cœur de Lion au loin. Grotesque, tel un crabe retrouvant laborieusement son équilibre, le Duc empoignait les cheveux de son adversaire tout en se remettant sur ses pieds. Des femmes hurlaient. Certaines fondirent en larmes quand il promena Cœur de Lion autour du ring en le tenant par les cheveux.

Il varia son attaque. Tantôt il donnait un coup de pied dans la mâchoire de Cœur de Lion, tantôt il s'asseyait sur son visage et rebondissait sans pitié sur son corps, en se moquant des spectateurs, tournant leurs insultes en dérision. Puis il coinça Cœur de Lion sur le dos ; ses épaules frôlaient le sol. Brusquement le bellâtre s'effondra et ses épaules touchèrent le sol. Le Duc s'assit sur lui et, insupportable insulte, lui tordit le nez. L'arbitre déclara le Duc vainqueur de la première manche.

C'en fut trop pour la foule. Les cinq mille spectateurs assiégèrent le ring et une douzaine d'excités s'abattirent sur le Duc de Sardaigne. Sans l'intervention de la police, ils auraient réduit son corps en bouillie. Les flics l'escortèrent hors du ring, le long de l'allée et jusqu'à son vestiaire.

Les masseurs de Cœur de Lion le portèrent sur un tabouret dans son coin. Sa jambe droite avait un air bizarre. Un médecin monta sur le ring et l'examina. Cœur de Lion pleurait à chaudes larmes. Le médecin parla ensuite discrètement avec l'arbitre. Un juge installé au bord du ring fit sonner une cloche. Dans le silence qui s'ensuivit, l'arbitre annonça le verdict : match nul. Et comme Cœur de Lion ne pouvait reprendre le combat, celui-ci était terminé. Un chaos indescriptible s'empara de la salle. Les supporters de Cœur de Lion envahirent le ring et attaquèrent l'arbitre, déchirant sa chemise et le rouant de coups. La police arriva à la rescousse alors que je descendais la travée menant à l'arrière de l'auditorium.

Allongé sur une table de massage dans son vestiaire, le Duc se faisait masser. Il me sourit en me voyant.

« Pas mal, non ? » dit-il.

« C'est un match nul, Duc. »

« Un match nul ? » Il bondit de la table de massage. « Qui a dit ça ? »

« L'arbitre. »

Le Duc se rua hors du vestiaire et dans le couloir. Je le vis se frayer un chemin à coups de poing parmi la foule qui encombrait la travée. La police s'empara immédiatement de lui ; il eut beau se débattre et les traiter de tous les noms, les flics le ramenèrent à son vestiaire et claquèrent la porte derrière lui. Je restai une dizaine de minutes dans le couloir à me demander quoi faire. Dans le vestiaire, le Duc vitupérait et lançait le mobilier contre les murs.

Je retournai dans l'arène et regardai deux lutteurs s'affronter sur le ring. Bientôt, le spectacle m'ennuya. Je sortis de l'auditorium, rejoignis la voiture et allumai une cigarette. Une heure durant, j'attendis le Duc. Le dernier match de la réunion sportive se termina et le public se déversa sur le parking. Une à une, les voitures s'en allèrent jusqu'à ce qu'il n'en reste plus qu'une : celle du Duc.

Une heure plus tard, à minuit, je le vis

sortir et marcher vers la voiture. Quand il monta à côté de moi, je remarquai son visage tailladé, son nez qui saignait, les jointures éraflées de ses doigts et son pantalon couvert de sang. Il ouvrit la boîte à gants et en sortit un paquet de serviettes en papier. Il tamponna son visage couvert de sang et de traces de coups. J'aperçus une fontaine au coin du bâtiment et lui proposai de se laver. Il descendit de voiture et marcha jusqu'à la fontaine. Il se frotta les mains sous l'eau courante, puis éclaboussa son visage. J'étais triste pour lui. Quelqu'un l'avait roué de coups ; il était furieux, stoïque et maussade. Nous sommes retournés à la voiture et chacun est monté à sa place. Je lui ai donné les serviettes en papier. De temps en temps, il tendait la main vers moi et je lui donnais un paquet de serviettes propres. Nous sommes allés en direction d'Avalon avant de tourner à droite vers le port. Il conduisait sans dire un mot ; il sanglotait simplement de temps à autre.

CHAPITRE VINGT

Le Duc passa toute la journée du lendemain au lit, le visage tourné vers le mur. Chaque fois que je frappais à sa porte et entrais, il ne bougeait pas.

« Ça va ? » je lui demandais.

« Merci. Va-t'en. »

Même chose le lendemain. Il était dans la même position, aucun muscle de son corps ne bougeait.

« Je peux te rendre un service ? »

« Non. Va-t'en. »

« Il faut que tu manges quelque chose, Duc. »

« S'il te plaît. Laisse-moi tranquille. »

Le matin du troisième jour, le bruit du démarreur de sa voiture me réveilla. J'allai à la porte et vis la voiture qui faisait demi-tour. Il m'aperçut et freina. Je descendis jusqu'à sa voiture. Il semblait ravigoré et souriant.

« Ça va mieux ? »

« En pleine forme. Je vais à Los Angeles pour un combat. »

« Contre qui ? »

« Je veux me battre une nouvelle fois avec Cœur de Lion. Je vais demander une revanche. Cette fois, je le tue. » Il passa la première, me fit un signe de la main et s'éloigna. Il resta absent toute la journée et une bonne partie de la nuit. Vers minuit, j'entendis sa voiture s'arrêter devant sa maison.

Le lendemain matin, sa grosse charrette grinça et les roues crissèrent dans le sable. Le Duc avait repris le collier. Je le regardai enfiler son harnais, ajuster sa lanière sur son front et tirer dans le doux sable blanc. Je sortis sur le porche et l'appelai :

« Le combat est pour quand ? »

« Dans deux semaines. A l'Olympic Auditorium. »

« Mauvais, Duc. Le public te déteste là-bas. » Il m'adressa un sourire.

« Non, pas du tout, Il m'adore. Tout le monde aime le Duc de Sardaigne. »

Assis sur le porche, je lisais Melville quand une voiture s'arrêta dans l'allée. C'était une Ford modèle A, le conducteur était une femme. Elle coupa le contact et descendit. Je scrutai la plage, mais ne vis le Duc nulle part. La fille traversa le porche de sa maison, frappa à la porte. Elle était superbe en robe bleue chinée et sweater bleu. Un cul divin. Des cheveux noirs brillants encadraient un visage aux traits réguliers où brillaient deux yeux étincelants.

« Il n'est pas là », lui dis-je. « Il travaille certainement sur la plage. »

Elle regarda la plage à gauche puis à droite. « De quel côté est-il parti ? »

Je hochai la tête. « Il tire une grosse charrette rouge. »

« Merci », dit-elle. « Savez-vous s'il sera bientôt de retour ? »

« Peut-être dans une heure. Le Duc et moi

sommes bons amis. Pourquoi ne venez-vous pas l'attendre avec moi ? »

Ses yeux cherchèrent une chaise.

« Excusez-moi », dis-je. « Voulez-vous vous installer à l'intérieur ? »

« Non, merci. » Elle s'appuya contre le pilier et resta silencieuse. Je me levai. « Puis-je vous offrir quelque chose ? Que diriez-vous d'un café ? Je viens juste d'en préparer. »

« Non merci. »

« Je m'appelle Arturo Bandini. »

Elle me sourit. « Ravie de vous connaître. Je m'appelle Jenny Palladino. »

« Vous habitez Lompoc », ajoutai-je en souriant.

« Comment le savez-vous ? » me demanda-t-elle avec surprise.

« Le Duc m'a parlé de vous. » Je tins ouverte la porte grillagée. « S'il vous plaît. Je fais un café que vous n'oublierez pas. »

« Non, je vous remercie. »

« Allez, n'ayez pas peur. Vous êtes une amie du Duc, vous n'avez rien à craindre. Ai-je l'air d'un type qui oserait faire des avances à la petite amie du Duc de Sardaigne ? »

Ses yeux attentifs se fixèrent sur moi, puis elle sourit : « Non, je ne crois pas. »

« Entrez », insistai-je. « Soyez mon invitée. »

« Eh bien... » Elle hésitait.

« N'ayez aucune inquiétude. Le Duc me fait une peur bleue. »

Elle entra. Je lui montrai le fauteuil le plus confortable et elle s'assit. Aussitôt, des idées frivoles me vinrent à l'esprit. Son regard et la moue de ses lèvres semblaient désapprobateurs. Je n'avais pas la moindre intention de lui faire du charme, je désirais simplement jouer, créer une sorte de complicité avec elle. Je lui servis une tasse de café, elle me remercia et but une gorgée. Elle était belle, sensuelle, superbement roulée, pourtant je ne ressentais aucun désir pour elle, j'avais simplement envie de faire des galipettes en riant avec elle, à la manière des chatons. Quand je m'agenouillai à ses pieds, elle remonta vivement ses jambes sur le fauteuil.

« O toi, la plus adorable des filles d'Eve », entonnai-je, « doux sont tes yeux et fascinants tes sourcils. Adorable fille, bénie soit la courbe de ton cou sculptural. Ne cherche pas à me bannir, car j'aspire à me noyer dans la lueur de tes yeux merveilleux. »

Son visage se ferma, ses lèvres s'ourlèrent en une moue de mécontentement. « Alors comme ça, c'est vous ! » dit-elle. « Je savais bien que le Duc n'avait pas écrit ça, ce n'était pas possible. »

Je ne désire pas la blesser, me dis-je en mon for intérieur. Je ne désire pas la séduire. Je désire seulement la faire sourire.

« Ecoute, ô mon amour, le vol de la perdrix au-dessus de l'étable, elle cherche son amour dans l'herbe fraîchement coupée. O oiseaux errants, ramenez-le-moi et empêchez que la peur ne le chasse. »

Elle bondit sur ses pieds et me repoussa.

« Laissez-moi tranquille », dit-elle, avant de crier :

« Duc ! Duc! »

Elle s'arrêta pour retirer ses chaussures, puis s'enfuit comme une biche aux abois. Au loin, on apercevait maintenant la lourde silhouette du Duc attelé à sa charrette rouge. Un instant, je restai pétrifié de terreur. Puis je fis ce qu'il fallait faire.

Je jetai mes vêtements dans mes valises, pris ma machine à écrire sous le bras et filai à ma voiture. Je lançai le tout sur le siège arrière. En catastrophe, je fis un autre aller-retour entre la voiture et la maison. Alors que je ressortais, je vis Jenny Palladino qui gesticulait des deux mains à côté du Duc. Il se libéra aussitôt de son harnais et piqua un sprint vers la maison. Je saisis mes livres et un imperméable, courus une dernière fois à ma voiture et fis démarrer le moteur. Le Duc était à cinquante mètres quand je sortis de la cour sur les chapeaux de roue pour m'engager sur la route. Dans le rétroviseur, je le vis brandir un poing menaçant et m'insulter. Je rejoignis la grand-route et pris la direction du pont qui me ramènerait à Los Angeles.

CHAPITRE VINGT ET UN

Tel un oiseau retournant vers son nid, je filais vers Bunker Hill, vers mon vieil hôtel et la meilleure femme que j'eusse jamais connue. Je garai ma voiture devant l'hôtel, sortis deux valises et les portai à l'intérieur. La réception était déserte. Je restai là quelques instants, humant l'atmosphère du lieu, le parfum nostalgique de l'encens d'Helen Brownell. Emu, je retrouvais l'endroit que j'aimais par-dessus tout. Quelle ténacité. Quelle permanence. Il me sembla que cette réception allait résister à toutes les épreuves du temps, qu'elle était éternelle et m'attendrait toujours. J'allai jusqu'au bureau, posai mes valises et appuyai sur la sonnette. La porte située derrière le bureau s'ouvrit légèrement, et je la vis qui me regardait sans trop y croire, comme si elle ne voyait pas bien.

« Bonjour, Helen », lui dis-je en souriant.

Elle continua de me regarder, puis ferma la porte. J'attendis un moment. Comme elle ne revenait pas, j'appuyai de nouveau sur la sonnette. La porte s'ouvrit. Elle me regarda tristement. Alors je remarquai ses cheveux ; ils étaient maintenant d'un blanc immaculé, aussi blancs que de la laine d'agneau.

« Helen », dis-je en contournant le bureau vers elle. « Oh, Helen, je suis si heureux de te recevoir. » Je posai les mains sur ses épaules et me penchai pour l'embrasser.

« Non », dit-elle. « C'est inutile. »

« Mais je t'aime. »

Elle me tourna le dos. « Va-t'en », me supplia-t-elle. « Je ne veux plus de toi ici. Je ne veux plus jouer à ce jeu. »

« S'il te plaît, laisse-moi habiter dans l'hôtel. Redonne-moi mon ancienne chambre. »

« Impossible. Elle est louée. Va-t'en, s'il te plaît. »

« Nous pourrions au moins parler un peu », dis-je pour essayer de gagner du temps. « Fais-moi une tasse de café, s'il te plaît. »

« Pourquoi es-tu si têtu ? Tu ne comprends donc pas que je ne veux plus de toi ici ? » Elle fit demi-tour et retourna rapidement à la porte derrière le comptoir. « Va-t'en, Arturo, trouve quelqu'un de ton âge. Je ne suis pas pour toi. Je ne l'ai jamais été. » Elle ferma la porte.

Ça me fit très mal. Je m'écroulai sur un canapé et tentai de réfléchir à la situation. Comment la récupérer ? Que lui dire ? Pourquoi ne pourrions-nous reprendre notre liaison où nous l'avions laissée ? Certes, nous avions eu une petite brouille, mais pas vraiment de quoi fouetter la queue d'un chat. Brusquement, je me sentis très fatigué. Nous pourrions peut-être redevenir amis, bavarder de nouveau ensemble, nous asseoir au crépuscule sur la véranda pour regarder les lumières de la ville, parler comme de vieux amis. Pourquoi était-elle aussi cassante avec moi ? Je me moquais de notre différence d'âge, j'étais sûr de l'aimer toujours. Même quand elle aurait quatre-vingt-dix ans, je continuerais à l'aimer, comme la femme du poème de Yeats :

Quand tu seras vieille, grise et ensommeillée,
Hochant la tête au coin du feu, prends ce livre,
Lis lentement, et rêve au doux regard qu'avaient
Jadis tes yeux, et à leurs orbites creuses ;

Combien ont aimé tes instants de grâce et de
[gaieté,
Aimé ta beauté d'un amour authentique ou
[frelaté,
Mais un seul a aimé ton esprit errant,
Aimé la tristesse de ton visage changeant.

CHAPITRE VINGT-DEUX

Je trouvai une chambre sur Temple Street, au-dessus d'un restaurant philippin. Je payais deux dollars la semaine sans serviettes, draps ni taies d'oreiller. Quand je la pris, je m'assis sur le lit et méditai sur mon existence terrestre. Pourquoi étais-je ici-bas ? Qu'allais-je faire ? Où étaient mes amis ? Qui connaissais-je ? Pas même moi. Je regardai mes mains. De fines mains d'écrivain, les mains d'un paysan écrivain, inaptes au travail manuel et pas assez régulières pour tracer des phrases sur une feuille blanche. Qu'allais-je faire ? Je regardai ma chambre, les murs maculés de taches de vin, le sol sans tapis ni moquette, la petite fenêtre donnant sur Figueroa Street. Je respirais les odeurs de cuisine du restaurant philippin au rez-de-chaussée. Etait-ce la fin d'Arturo Bandini ? Allais-je mourir entre ces quatre murs sordides, sur ce matelas grisâtre ? Mon cadavre pourrirait peut-être là pendant des semaines avant qu'on ne le découvre. Je m'agenouillai pour prier :

« Que Vous ai-je fait, Seigneur ? Pourquoi me punissez-Vous ? J'aimerais seulement avoir une chance d'écrire, avoir un ami ou deux, cesser de fuir. Apportez-moi la paix, O Seigneur. Faites de moi quelqu'un de valable. Faites chanter la machine à écrire. Trouvez la mélodie qui dort en moi. Soyez bon pour moi, car je suis seul. »

Ma prière me réconforta un peu. J'installai ma machine à écrire et m'assis devant. Mais un mur gris se dressa soudain entre elle et moi. Je repoussai ma chaise et sortis me balader dans la rue. Je montai dans ma voiture et démarrai sans destination précise.

J'avais beaucoup de mal à dormir dans ma petite chambre, bien que j'eusse acheté des draps et des couvertures. La misère des jours, l'impuissance à travailler imprégnaient la chambre même la nuit. Le matin, l'atmosphère de ma chambre était toujours aussi déprimante et je ressortais dans la rue. Alors je me rappelai l'un des préceptes d'Edgington : « Quand tu es blessé, pars sur la route. » Au coucher du soleil, je sortis ma voiture du parking et partis dans les rues. J'errai pendant des heures. La cité ressemblait à un parc gigantesque déferlant des collines vers la mer, un jardin embelli par la nuit, les lampadaires luisant comme des ballons blancs, les rues larges et généreuses quadrillant le parc. Peu importait la direction choisie, il y avait toujours une route devant vous, qui vous emmenait dans d'étranges quartiers ou des faubourgs surprenants ; tout cela était apaisant et rafraîchissant, mais ne poussait nullement à écrire. Emporté dans le flot de la circulation, je me demandais combien d'hommes partaient comme moi sur la route simplement pour échapper à la ville. De jour comme de nuit, les voitures grouillaient dans la ville, mais il était impensable que tous ces gens sussent vraiment où ils allaient.

En février, Liberty Films distribua dans les salles le film de Velda van der Zee, *Sin City*. Je décidai d'aller le voir au Wiltern, sur Wilshire, à la séance de huit heures. Je me préparai à le détester et fus ravi de constater que la salle était plus qu'à moitié vide. J'achetai un sachet de popcorn et m'installai au balcon. Je me réjouissais d'avoir fait retirer mon nom du générique ; quand les lumières déclinèrent, je me félicitai une nouvelle fois de ne pas figurer au générique. J'éclatai de rire quand le nom de Velda apparut ; au début du film, lorsque la diligence traversait la plaine, je gloussai et pouffai de façon incontrôlée. Une main toucha mon épaule. Je me retournai et découvris une femme mécontente.

« Vous me dérangez » me dit-elle.

« C'est plus fort que moi », rétorquai-je. « Je trouve le film très drôle. »

Quand la bande des Indiens sanguinaires apparut, je ris à gorge déployée. Autour de moi, plusieurs personnes se levèrent pour s'installer plus loin.

Le film était si éloigné de mon travail original, de mes intentions premières, que c'en était incroyable, ahurissant. A deux moments seulement, je remarquai un dialogue que j'avais peut-être écrit et que le metteur en scène n'avait pas caviardé. Dans le premier, au début du film, le shériff entrait au triple galop dans *Sin City*, arrêtait son cheval devant le saloon et criait « *Whoa !* » Je me souvenais maintenant de ce dialogue : « *Whoa !* » C'était de moi. Un peu plus tard, le shériff sortait du saloon en roulant des mécaniques, montait sur son cheval et s'écriait : « En avant ! » Ça aussi, c'était de moi : « En avant ! » Whoa et En avant — mes seules prouesses de scénariste.

Ce n'était ni un bon film, ni un film excitant, ni un film émouvant ; quand le mot « fin » apparut sur l'écran et que les lumières se rallumèrent dans la salle, je vis les spectateurs à moitié endormis dans leurs fauteuils, leurs visages mornes ne trahissant aucun plaisir. Je rayonnai. Leur ennui témoignait de mon intégrité. J'étais meilleur d'"avoir retiré mon nom du générique ; cela faisait de moi un meilleur écrivain. Le temps le prouverait bien assez tôt. Quand Velda van der Zee serait un nom oublié, le monde reconnaissant se souviendrait avec admiration d'Arturo Bandini. Je sortis dans la nuit. Bon Dieu, que je me sentais bien, régénéré, réconcilié avec l'univers ! Whoa et en avant ! Et sus à l'ennemi. Je montai dans ma voiture et m'engageai dans Wilshire Boulevard en direction de mon hôtel.

Dans ma chambre, je m'écroulai sur le lit, épuisé. Je m'étais raconté des histoires, je n'avais pas éprouvé le moindre plaisir à voir *Sin City* ; en fait, l'échec de Velda me peinait. J'étais désolé pour elle, pour tous les scénaristes, pour l'ingratitude de ce métier. Allongé dans ma chambre minuscule, je sentis les murs se resserrer autour de moi comme une tombe.

Je me levai et descendis dans la rue. A un demi-bloc de là, j'avisai un bar philippin. Je m'assis sur un tabouret et commandai un verre de vin philippin. Autour de moi, les clients riaient et jouaient aux fléchettes. Je bus plusieurs verres. Le vin était doux, avec un arrière-goût de menthe, il m'enivrait, chauffait mon estomac. Je bus encore cinq verres et me levai pour partir. Je me sentais nauséeux, mon estomac me paraissait flotter dans ma poitrine. Je sortis sur le trottoir, m'appuyai contre un lampadaire et sentis mes genoux se dérober.

Alors tout disparut et je me retrouvai dans un lit inconnu. La lumière du jour entrait à flots dans une pièce blanche par de grandes baies vitrées. Des tubes pénétraient dans mon nez et ma gorge ; j'avais envie de vomir. Debout à mon chevet, une infirmière me regardait m'étrangler et me tordre de douleur. Puis il resta seulement une atroce douleur dans mon estomac et ma gorge. L'infirmière retira les tubes.

« Où suis-je ? » demandai-je.

« A l'Hôpital de Georgia Street », dit-elle.

« Que m'est-il arrivé ? »

« Empoisonnement », dit-elle. « Votre amie est ici. »

Je tournai la tête vers la porte et découvris Helen Brownell. Elle avança lentement vers le lit et s'assit dessus. Je saisis sa main et me mis à sangloter.

« Là, c'est fini », dit-elle pour me calmer. « Tout va bien maintenant. »

« Qu'est-ce qui m'arrive ? » dis-je entre deux hoquets. « Que se passe-t-il ? »

« Tu ne te souviens donc pas ? »

« J'ai bu du vin, voilà tout. »

« Tu as trop bu », dit-elle. « Tu t'es évanoui, et le vin t'a rendu très malade. »

« Qui m'a transporté ici ? »

« Une ambulance. »

« Mais comment se fait-il que tu sois là ? »

« Il y avait mon adresse dans ton porte-feuille. »

« Tu es ici depuis longtemps ? »

« Depuis minuit », dit-elle.

« Je peux partir maintenant ? »

L'infirmière s'avança. « Non, pas tout de suite », dit-elle. « Il faut d'abord que le médecin vous examine. »

Mme Brownell se leva et serra ma main. « Je dois partir. »

« Je viendrai te voir à l'hôtel. »

Elle se mordit la lèvre. « Tu ne devrais peut-être pas. »

« Pourquoi pas ? Je t'aime. »

« Ne dis pas ça », répondit-elle.

« C'est la vérité », insistai-je. « Je t'aime plus que personne au monde. Je t'ai toujours aimée. Je t'aimerai toujours. »

Sans répondre, mais avec l'ombre d'un sourire, elle se détourna et sortit de la chambre. Je sentis mon estomac se contracter et l'infirmière tint ma tête pendant que je vomissais dans une cuvette.

En fin d'après-midi, le médecin m'examina et m'autorisa à quitter l'hôpital. Quand je l'interrogeai sur les frais d'hospitalisation, il me répondit que quelqu'un les avait déjà payés.

« Qui ? »

« Mme Brownell. »

Je m'habillai, suivis le couloir jusqu'à la porte et montai dans le tramway de Hill Street. Je descendis à la Troisième Rue et pris le funiculaire jusqu'au sommet de Bunker Hill.

CHAPITRE VINGT-TROIS

Il y avait un homme à la réception de l'hôtel. Il était grand et mince, avec un halo de cheveux gris. Je demandai à voir Mme Brownell.

« Elle est pas là », dit-il.

« Savez-vous quand elle reviendra ? »

« Sais pas. L'est partie à San Francisco. »

Remarquant une certaine ressemblance, je lui demandai : « Vous êtes un parent ? »

« Je suis son frère », dit-il. « Vous vous appelez Bandini ? »

« Oui. »

Il souleva le buvard du bureau, prit une enveloppe et me la tendit. Mon nom était écrit dessus. J'ouvris l'enveloppe. A l'intérieur, il y avait un formulaire de l'Hôpital de Georgia Street, une facture de douze dollars, portant un coup de tampon « payé ». Je cherchai un mot d'explication dans l'enveloppe. Il n'y en avait pas. L'homme m'observait.

« Elle n'a pas laissé d'autre message pour moi ? »

« C'est tout. »

Je sortis mon portefeuille et lui donnai douze dollars. Sans même me remercier, il les mit dans le tiroir-caisse. Du menton, j'indiquai la porte de l'appartement de Mme Brownell, puis, l'œil sombre, demandai à l'homme :

« Vous êtes sûr qu'elle n'est pas là ? »

Il ouvrit la porte et s'effaça. « Regardez vous-même. »

Je secouai la tête. « Pourtant, ça ne lui ressemble pas de faire une chose pareille. »

Le vieux sourit. « C'est ce que tu crois, fiston. »

Je ressortis dans la rue. A trente milles à l'ouest, le soleil dégringolait dans l'océan, des nuages filiformes s'embrasaient à l'horizon, des ondées striaient l'atmosphère. En contre-bas de Bunker Hill, j'entendais le rugissement de la cité, le tintement des cloches des trolleys, le vacarme des voitures, le brouhaha des profondeurs. Sous mes pieds passait le tunnel de la Troisième Rue où les voitures s'engouffraient bruyamment pour ressortir avec un ronflement assourdi.

Que fais-je ici, me demandai-je. Je déteste cet endroit, cette ville hostile. Pourquoi me rejetait-elle toujours comme un orphelin indésirable ? N'avais-je pas payé mon dû ? N'avais-je pas travaillé d'arrache-pied, fait l'impossible pour trouver une place au soleil ? Qu'avait donc cette ville contre moi ? Mes ennuis tenaient-ils à ma gaucherie de paysan, à la conviction chez moi bien ancrée de ne pas être tout à fait comme les autres ?

Si Los Angeles me rejetait, où aller ? Où trouver un accueil digne de ce nom, où pourrais-je m'asseoir parmi les gens qui m'aiment, qui s'intéressent à moi, sont fiers de moi ? Alors je trouvai la réponse. Il y avait bien sûr un lieu où les gens m'aimaient, et j'allais les retrouver. Va donc te faire foutre, Los

Angeles de mes deux, avec tes palmiers à la con, tes femmes qui pètent plus haut que leur cul, tes rues de pacotille, car je rentre chez moi, dans le Colorado, je retourne au bercail, dans la putain de meilleure ville des USA : Boulder, Colorado.

CHAPITRE VINGT-QUATRE

Je mis ma voiture au garage et montai dans un bus Greyhound avec deux valises. Le bus sortit de Los Angeles à sept heures du soir, par une journée torride. Ce devait être la dernière journée torride que je connaîtrais pendant un mois. Dans le bus, l'air était encore plus brûlant qu'au-dehors et les sièges en cuir semblaient avoir pompé toute la chaleur du jour. Les passagers épuisés cherchaient toujours une position pas trop inconfortable quand le bus atteignit les faubourgs de Los Angeles. On aurait dit qu'ils voyageaient depuis des jours ; des nuages de fumée de cigarette bleuissaient l'air.

Pendant la traversée du Nevada, les premiers flocons de neige commencèrent à tomber. Nous nous enfoncions dans une tempête de neige de plus en plus violente, la neige s'entassait sur les bas-côtés, le bus avançait à l'aveuglette dans les bourrasques. Quand il s'arrêta dans l'Utah, la neige montait au-dessus des roues. Les passagers se ruèrent vers le dépôt pour boire des tasses d'un ignoble café, puis regagnèrent leurs places. Les heures passaient, la neige tombait avec une détermination insidieuse, comme pour nous ensevelir. Dans le Wyoming, les chasse-neige de Rock Springs vinrent à notre secours, et le voyage prit des allures d'escargot. Quand le bus arriva au dépôt de Boulder, j'eus toutes les peines du monde à me lever de mon siège.

La neige était terrifiante, les flocons gros comme des pièces d'un dollar glissaient lentement vers le sol où ils s'immobilisaient sans fondre. Devant le dépôt des bus, je frissonnais dans mon pull mince et je clignais des yeux. Où diable étais-je ? La neige camouflait totalement le décor. Je savais qu'il y avait un pont à un demi-bloc de là, mais il était invisible. Je savais qu'il y avait un entrepôt de bois de l'autre côté de la rue, mais il avait disparu. J'allumai une cigarette en tremblant et en martelant le sol avec mes pieds pour les réchauffer. Brusquement, une silhouette se matérialisa devant moi. Je crus reconnaître son visage, mais en fus seulement certain quand la silhouette dit :

« Que fais-tu ici ? »

Ce ne pouvait être que mon père.

« Je suis revenu à la maison. »

Son haleine fumait.

« Tu as froid », dit-il. « Où est ton manteau ? »

« Sur ton dos », rétorquai-je. Il déboutonna son épais manteau en peau de mouton, et l'enleva.

« Mets-le », dit-il en me le tendant.

« Et toi ? »

« T'inquiète pas pour moi. Mets-le. »

Il m'aida à l'enfiler. Il était maintenant en manches de chemise, les flocons de neige le frappaient de plein fouet.

« Allons-y », dit-il.

Nous partîmes d'un bon pas. Le manteau

166

avait accumulé toute la chaleur de son corps. Il faisait partie de mon existence, comme un vieux fauteuil, une fourchette usée ou le châle de ma mère, tous les témoins de mon ancienne vie, trésors précieux et dérisoires.

« Pourquoi es-tu revenu ? »

« J'en avais envie, et puis j'avais pas le choix, je me sentais trop seul. »

« Tu as plaqué ton boulot de serveur ? »

« Momentanément — je le reprendrai peut-être plus tard. »

« Il n'y a rien pour toi ici », dit mon père en exhalant un nuage de vapeur opaque. « Que comptes-tu faire maintenant ? »

« Je trouverai bien quelque chose », dis-je.

« Tu veux pas m'écouter », grommela-t-il. « De toute façon, t'as jamais écouté ton père. »

« Il fallait que je me débrouille seul. »

Il jura. « Et ça t'a rapporté quoi ? »

La tempête s'enflait puis se calmait. Je regardai Arapahoe Street. Les ormes majestueux semblaient plus grands dans la lumière de la neige. Les maisons se serraient comme des animaux pris dans la tourmente. Une voiture passa, ses chaînes firent un bruit de mitraille. A un mille de là, s'élevaient les premiers contreforts des Montagnes Rocheuses, mais la neige les masquait de son voile blanc. De l'autre côté de la rue, dans la cour des Delaney, la vieille Elsie, leur vache, nous regarda passer, immobile dans la tempête.

Quelle rue merveilleuse ! J'avais vécu tellement de choses sur ses trottoirs, sous les ormes paisibles, — notre maison était à un bloc de là —, les Noëls, les parties de baseball, la première communion et Hallowe'en, cerfs-volants, luges et matches de football, Pâques et les examens et toute ma vie évoquée par cette rue magique, ses vieilles bâtisses aux fenêtres doucement éclairées, mon foyer au bout du pâté de maisons.

Nous sommes arrivés devant la maison et j'ai reconnu la vieille Overland de mon frère, garée dans la rue, le toit enfoncé, l'intérieur plein de neige fraîche. C'était sans importance, car cette voiture avait la vie dure. Quand la neige fondrait, elle démarrerait au quart de tour et partirait cahin-caha. Je gravis les marches du porche derrière mon père et nous frappâmes nos chaussures contre le sol pour en faire tomber la neige. Mon père ouvrit la porte et cria :

« Le voilà ! »

Dans la cuisine, je vis ma mère devant le poêle, une louche à la main. Elle se retourna. Poussant un cri de joie, elle ouvrit grand les bras, envoya valser la louche à l'autre bout de la cuisine et courut vers moi.

« Je le savais », dit-elle. « J'en ai parlé toute la journée. »

Elle m'étreignit dans le salon, m'embrassa sur les joues en sanglotant, ses larmes s'écrasèrent sur mon visage. Mon frère Mario restait un peu en retrait, l'air gêné. Il avait beaucoup grandi depuis la dernière fois que je l'avais vu, et c'était maintenant une grande perche timide de dix-neuf ans. Ma sœur Stella se glissa dans mes bras. A seize ans, elle était très belle et très réservée, mais elle n'eut pas honte de ses larmes. Par-dessus son épaule, j'aperçus mon petit frère Tom, élève de première à l'Ecole du Sacré-Cœur. Quand je l'embrassai, il me dit :

« Je t'avais imaginé plus grand. »

Ma mère me prit par la main et m'entraîna dans la cuisine.

« Tu crois que je ne le savais pas ? » me demanda-t-elle. « Tu crois que je me serais donné tout ce mal si je n'avais pas su que tu arrivais ? » Elle me montra la marmite en fonte qui mijotait sur le poêle. « Regarde ! »

C'était de la lasagne, une sauce tomate rouge bouillonnant dans un océan de pâtes fraîches.

« Comment pouvais-tu te douter de mon arrivée ? » lui demandai-je. « Je n'ai décidé mon départ qu'à la dernière minute. »

« J'ai prié. Voilà tout. »

Mon frère Tom me prit par la main et m'emmena dans le salon, puis dans sa chambre. Il me demanda alors à voix basse : « As-tu rencontré Hedy Lamarr ? »

« Je la vois tous les jours », dis-je.

« Tu es un menteur. » Puis : « Comment est-elle ? »

« Ravissante. Quand elle entre dans une pièce, tout le bâtiment se met à trembler. »

« Je lui ai écrit une lettre. Elle ne m'a même pas répondu. »

« Avant que je reparte, écris-lui une autre lettre. Je la lui donnerai moi-même. »

Il me sourit, puis ajouta : « Tu es un sacré menteur. »

Je plaçai ma main sur mon cœur. « Je le jure devant Dieu. »

Nous étions pauvres, mais comme toujours nous mangions très bien, la table croulait sous les salades, le pain fait à la maison, la lasagne et le vin de mon père. Après le repas, arriva le moment de parler, d'interroger le fils prodigue. Ils ne me considéraient pas comme un raté, loin de là. J'étais un héros, un conquérant qui rentrait au foyer après de lointaines batailles. Ils me convainquirent même de mon importance dans le monde.

« Bon », dit mon père en finissant son vin. « Pourquoi es-tu revenu à la maison ? »

« Pour voir ma famille. Tu as une objection ? »

Il me regarda droit dans les yeux. « Et toi, tu as de l'argent ? »

« Un peu. »

« Nous en avons besoin. Donne-le à ta mère. »

Je sortis mon portefeuille, en tirai deux billets de cent dollars, que je poussai vers ma mère. Elle se mit à pleurer.

« C'est trop », dit-elle.

Mon père fulmina. « Boucle-la et prends ces billets. »

Ma mère fourra les billets dans la poche de son tablier.

« Arturo, me dit Stella, connais-tu Clark Gable ? »

« C'est un de mes meilleurs — enfin, c'est un bon ami à moi. »

« Est-il aussi gentil qu'il en a l'air ? Ou bien est-ce un vantard ? »

« Il est terriblement timide. »

Mon père remplit une nouvelle fois son verre. « Et Tom Mix ? Tu le connais ? »

« Tous les jours aux studios. Lui et Tony. »

Mon père sourit en se rappelant. « Tony. Quel type formidable. »

Mon frère Tom prit un air penaud et me

demanda : « Combien mesure Hedy Lamarr ? »

« Elle est plus grande que toi. »

« Abruti », dit Tom.

Mon père abattit son poing sur la table. « Je ne veux pas entendre ce langage sous mon toit. » Un silence respectueux s'ensuivit. Puis Mario prit la parole :

« Tu n'as jamais rencontré James Cagney ? »

« Je le vois souvent. »

« Quel genre de voiture conduit-il ? »

« Une Duesenberg. »

« Normal », dit Mario.

CHAPITRE VINGT-CINQ

A la maison, j'étais comme un coq en pâte. Je dormais bien. Je mangeais bien. Je passai les premiers jours à traîner dans l'appartement, à exhiber ma garde-robe. Les vêtements qui gonflaient mes valises fascinèrent ma mère — mes costumes, mes vestons, mes pantalons. Elle cousit des boutons, reprisa mes chaussettes, nettoya et repassa mes costumes, les rangea dans la penderie. A chaque nouveau vêtement que je lui montrais, ma mère se pâmait. Elle touchait les tissus, elle me dévorait des yeux. J'incarnais deux personnages ; quand je portais un pantalon de velours et un T-shirt, j'étais son fils, mais quand je revêtais un costume à deux cents dollars, je me métamorphosais en prince.

« Dieu a été bon avec moi », soupirait-elle. « Tu as l'air tellement important. »

Au bout d'un certain temps, je me lassai de la maison et commençai à sortir en ville pour retrouver mes lieux préférés : l'académie de billard de Benny sur Pearl Street, le bowling de Walnut. Je retournai à la bibliothèque et retrouvai les livres qui avaient bouleversé mon existence : Sherwood Anderson, Jack London, Knut Hamsun, Dostoïevsky, D'Annunzio, Pirandello, Flaubert, Maupassant. L'accueil qu'ils me firent fut infiniment plus chaleureux que la froide curiosité des anciens amis que je rencontrai en ville.

Un jour je tombai sur Joe Kelly, journaliste au *Boulder Times*. Nous nous serrâmes la main, tout heureux de nous retrouver. Au lycée, Kelly et moi allions souvent à Denver pour assister aux matches de baseball de la Western League. Joe m'invita dans les bureaux du *Times*, fit prendre ma photo et m'interviewa. Ce n'était ni une interview flatteuse ni un règlement de compte ; simplement, Joe jouait son rôle de journaliste à fond, comme si maintes questions sur mon travail et moi-même avaient besoin de réponses détaillées. Mon père acheta vingt-cinq exemplaires du journal où l'interview fut publiée, et tous les membres de la famille s'assirent à la table du salon pour lire le journal en silence.

Le lendemain, Agnes Lawson téléphona. Autrefois, nous avions tous deux participé aux activités du *Crayon Rouge*, un club litté-raire organisé par l'église locale. Je ne l'avais pas vue depuis deux ans. C'était une fille hau-taine et gâtée issue d'un milieu cossu, et quand elle m'invita à une party chez elle, mon pre-mier réflexe fut de refuser. Toujours ce nasil-lement dans sa voix, cette réserve snob.

« Il y aura beaucoup d'anciens membres du *Crayon Rouge* », dit-elle. « Nous tenons à ce que tu viennes, maintenant que tu es célèbre. »

« Je tâcherai de venir », dis-je. « Je suis invité à une autre party, mais je ferai un saut chez toi. »

Cette invitation ravit ma mère, car Agnes

était la fille d'un des notables les plus en vue de Boulder, le propriétaire du magasin de vêtements le plus chic.

Le lendemain soir, je choisis soigneusement mes vêtements pour la soirée d'Agnes. Costume de tweed gris, cravate rouge, chemise grise. Ma mère rayonnait de plaisir.

« Quel honneur ! » disait-elle. « C'est formidable de pouvoir aller dans ces belles maisons ! Je suis tellement fière de toi. »

Mon frère Mario déblaya la neige qui recouvrait son Overland, installa une bâche sur le siège avant et me conduisit à la maison à trois étages des Lawson, sur University Hill. Des souvenirs désagréables me revinrent en mémoire quand je revis cette maison, une maison dont on m'avait jusqu'alors interdit l'entrée. Je me souvins de tous les étés où Agnes organisait des parties auxquelles je n'étais jamais invité, et je ne pouvais pas davantage oublier que ma famille était très endettée auprès du magasin Lawson. M. Lawson ne parlait jamais de nos dettes, mais chaque fois qu'il me voyait il s'arrangeait pour m'adresser un regard agacé.

Je sonnai à la porte et Agnes vint ouvrir. Debout derrière elle, lui enlaçant la taille, se dressait Biff Newhouse, l'arrière vedette de l'équipe de football de l'Université du Colorado. Il portait un sweater de champion sportif, avec un grand « C » doré sur la poitrine. Agnes me tendit la main et me dit « Salut ».

« Bonsoir, Agnes. »

C'était une fille menue, aux cheveux coupés court, vêtue d'une robe noire dernier cri.

« Je te présente Biff Newhouse. »

Biff et moi nous sommes serré la main. Sa poignée de main était inutilement virile.

« Enchanté, mon vieux ». dit-il en souriant.

« Bonsoir, Biff », rétorquai-je.

Il y avait une douzaine de personnes réunies dans le salon. Je les avais toutes rencontrées, soit à l'école, soit au lycée. Ils me dévisagèrent sans la moindre expression, comme pour me prouver que je n'étais pas digne de leur amitié. Seul Joe Kelly s'avança vers moi pour me serrer la main.

« J'aime bien ce que tu as écrit sur moi », lui dis-je.

« Tant mieux. Je craignais le contraire. »

« Tu veux boire quelque chose ? » demanda Agnes.

«Volontiers. Un scotch à l'eau. »

Elle alla au bar me servir un whisky. Une grande fille à lunettes s'approcha.

« Il paraît que vous êtes scénariste ? » me dit-elle.

« Le meilleur d'Hollywood. »

Elle sourit à peine. « Je savais que vous alliez répondre quelque chose comme ça. Ecrivez-vous toujours cette poésie affligeante ? »

« Comment cela : " affligeante " ? J'ai vendu un de mes poèmes au *New Yorker*. »

Agnes m'apporta mon whisky. Je les descendis cul sec. Les invités étaient installés sur les divans ou dans de profonds fauteuils devant la cheminée. Agnes me prépara un deuxième whisky.

« Comment est la vie au royaume des stars ? » me demanda-t-elle.

« Fabuleuse », dis-je. « Tu devrais venir voir un jour. »

Elle rit. « Moi à Hollywood ? Quelle drôle d'idée. »

« Combien de fric gagne un scénariste comme toi ? » me demanda Biff.

« J'ai commencé modestement », dis-je. « Trois cents dollars par semaine. Aujourd'hui, mon salaire est de mille dollars la semaine. »

Biff eut un sourire dubitatif. « Conneries », dit-il.

« C'est peut-être des conneries à tes yeux, mais pour moi c'est de l'argent frais. »

« Connaissez-vous Joel McCrea ? » me demanda la grande fille qui se piquait de poésie.

« Non seulement je le connais, mais il se trouve que c'est l'un de mes meilleurs amis. »

Agnes me servit un autre whisky.

« Et Ginger Rogers ? » roucoula Agnes. « Parle-nous de Ginger Rogers, Arturo. »

Je regardai ses yeux moqueurs.

« Gingers Rogers est un être supérieur. Elle possède le charme, la beauté et le talent. Je la considère comme l'une des plus grandes artistes de notre époque. Cependant, ma vedette préférée est Norma Shearer. Sa beauté est époustouflante. Ses yeux sont merveilleux et elle a un corps sublime. Je connais énormément d'actrices qui ont un corps sublime — Bette Davis, Hedy Lamarr, Claudette Colbert, Jean Harlow, Katharine Hepburn, Carole Lombard, Maureen O'Sullivan, Myrna Loy, Janet Gaynor, Alice Faye, Irene Dunne, Mary Astor, Gloria Swanson, Margaret Lindsay, Dolores del Rio. Je les connais toutes. Elles font partie de ma vie. J'ai dîné avec elles, dansé avec elles, fait l'amour avec elles, et je peux vous dire une chose — je n'ai jamais déçu une seule d'entre elles. Allez donc les voir, posez-leur des questions sur Arturo Bandini, demandez-leur si elles ont jamais été maltraitées par Arturo Bandini. »

Je marquai une pause, le temps de m'enfiler un autre scotch. Puis je me levai.

« Je me demande ce qui cloche chez vous. » Je traversai le salon vers le bar et m'y accoudai. « Comment pouvez-vous supporter une existence aussi morne ? Il n'y a donc pas d'amour dans votre vie ? Aucune beauté parmi vous ? » Je regardai Biff Newhouse droit dans les yeux. « Etes-vous incapable de penser à autre chose qu'au football ? Très peu pour moi, les enfants. Je mène une vie différente. Loin de votre putain de neige. Je joue au soleil. Je joue au golf avec Bing Crosby, Warner Baxter et Edmund Lowe. Je joue au tennis avec Nils Asther, George Brent, William Powell, Pat O'Brien et Paul Muni. Je joue dans la journée, baise au crépuscule et travaille la nuit. Je nage avec Johnny Weismuller et Esther Williams et Buster Crabbe. Tout le monde m'aime. Compris ? Tout le monde. »

Je fis un geste grandiloquent, mes talons pivotèrent, glissèrent, et je me retrouvai assis par terre, mon verre renversé à côté de moi. J'entendis leur rire ; j'essayai de me relever, mais glissai encore et tombai. Biff Newhouse m'aida à me remettre debout. Brusquement je le détestai et lui décochai un coup de poing qui l'atteignit à la mâchoire. Furieux, il plissa les yeux et me rendit la monnaie de ma pièce

— un uppercut sec qui atterrit sur mon nez. Je me retrouvai une fois de plus à terre, le sang coulait de mon nez, dégoulinait sur ma poitrine, sur mon pantalon, sur la manche de ma veste. Dans une sorte de brouillard, je vis les autres courir en tous sens, s'agiter autour de moi, sortir de la maison. Puis Joe Kelly me remit sur pieds, pressa un torchon sous mon nez et me soutint pendant que j'essuyais le sang.

« Je te ramène chez toi », dit-il. Il m'aida à sortir et descendre les marches du porche. Les voitures démarraient et s'éloignaient. Joe m'aida encore à monter dans sa Ford. Le sang coulait toujours. Je pressai le torchon contre mon nez tout le long du chemin.

Quand Joe s'arrêta devant chez moi, je descendis et fermai la porte en prenant garde de ne pas la claquer. Kelly s'en alla, je fis une pause pour ramasser de la neige entre mes mains et la presser contre mon nez afin d'arrêter l'hémorragie. Marchant en silence dans la neige, j'allai à la fenêtre de mon frère et tapai au carreau. Il vint à la porte latérale de la maison. Il fut pris de panique en découvrant mon visage ensanglanté.

« Que s'est-il passé ? » dit-il.

« J'ai glissé et je suis tombé sur le nez. T'inquiète pas et ne fais pas de bruit. Je ne veux pas que maman se réveille. Le vieux est à la maison ? »

« Il est au lit. »

« Je m'en vais », chuchotai-je. « Je me tire d'ici — ce soir, tout de suite. Reste tranquille. »

J'entrai par la porte latérale. J'ouvris mes

valises sur le lit et y rangeai posément mes vêtements pliés dans la commode ou accrochés à des cintres. Mario s'habilla et me regarda laver le sang sur mon visage et mes mains. Je me changeai, roulai en boule ma chemise et mon costume maculés de sang, puis les fourrai dans ma valise.

« En route », murmurai-je.

Il souleva une valise, je pris l'autre. Sans un bruit, nous sortîmes dans la neige pour rejoindre sa voiture. La voix de Mario tremblait.

« Que vais-je dire à maman ? » demanda-t-il.

« Rien du tout. »

« Tu es vraiment sûr d'avoir glissé ? » demanda-t-il. « Personne ne t'a cherché noise ? »

« Absolument personne. »

Nous jetâmes mes valises dans sa voiture et Mario m'emmena au dépôt de bus. Le bus à destination de Denver était garé devant, haletant comme un animal. J'achetai un billet pour Los Angeles, et montai. Mario resta sous ma fenêtre, levant vers moi des yeux pleins de larmes. Je me hâtai de descendre du bus et le pris dans mes bras.

« Merci, Mario. Je ne suis pas près d'oublier ça. »

Il sanglotait et posa sa tête sur mon épaule. « Fais attention », dit-il. « Ne te bats pas, Arturo. »

« Je suis capable de prendre soin de moi. »

Je lui dis adieu et remontai dans le bus. C'était un mercredi soir. Le bus roula longtemps dans la neige et arriva à Los Angeles le samedi matin sous un soleil éclatant.

CHAPITRE VINGT-SIX

J'étais donc une fois encore de retour à L.A., avec deux valises et dix-sept dollars en poche. J'aimais ça, le vaste ciel bleu, la chaleur du soleil sur mon visage, les rues excitantes, tentantes, fascinantes, le ciment et les pavés, aussi doux et rassurants qu'une vieille paire de chaussures. Je saisis mes deux poignées de valise et m'engageai dans la Cinquième Rue. J'avais décidé de marcher. Je me demandais pourquoi je n'avais presque jamais pu l'appeler par son prénom, Helen. Je devais prendre de nouvelles habitudes. Je marcherais jusqu'au sommet de Bunker Hill, je lui ouvrirais mes bras et je lui dirais : « Helen, je t'aime. »

Nous pourrions repartir à zéro. Pourquoi ne pas acheter une petite maison dans les collines de Woodland, une de ces maisons typiques du Kansas avec un poulailler et un chien ? Oh, Helen, tu m'as tellement manqué, et maintenant je sais ce que je désire. Mais peut-être n'aimait-elle pas les collines de Woodland. Elle préférait peut-être rester à l'hôtel. Il avait si bien vieilli, comme un aristocrate, comme Helen elle-même. Je choisirais une chambre pour écrire, et nous passerions toutes nos journées ensemble. Oh, Helen. Pardonne-moi de t'avoir abandonnée. Je ne le referai plus jamais.

Je pris le trolley jusqu'au sommet de Bunker Hill et aperçus l'hôtel au loin. Il me parut magique, comme un château de conte de fées. Je savais que, cette fois, elle allait m'accepter. Je sentis toute l'énergie de ma jeunesse, je savais que j'étais plus fort qu'elle et qu'elle fondrait dans mes bras. J'entrai dans l'hôtel et posai mes valises contre le mur. Elle n'était pas à la réception. Je traversai la réception jusqu'au bureau en souriant, puis appuyai sur la sonnette. Personne ne répondit et j'appuyai de nouveau, plus fort. La porte s'entrebâilla. J'aperçus l'homme que j'avais déjà vu, celui qui m'avait dit être son frère. Il ne s'avança pas, me parla d'une voix à peine audible.

« Oui ? »

« Je cherche Helen. »

« Elle est absente », dit-il, puis il ferma la porte. Je contournai le bureau et frappai à la porte. Quand il ouvrit, je vis qu'il pleurait.

« Elle est décédée », dit-il. « Morte. »

« Comment ? Quand ? »

« Il y a une semaine. Elle a eu une attaque. »

Mes jambes se dérobèrent sous moi, je titubai vers un fauteuil près de la fenêtre. Je ne voulais pas pleurer. Quelque chose de profond et de durable se faisait jour en moi, creusant ma chair. Je ne pouvais plus respirer. Le frère s'approcha et resta debout à côté de moi, éploré.

« Je suis désolé », dit-il.

Je me levai, pris mes valises et sortis. Au petit dépôt d'Angel's Flight, j'avisai un banc de parc et donnai libre cours à ma douleur. Je restai là deux heures, hagard, pétrifié de douleur. J'avais envisagé d'innombrables possibilités depuis que je la connaissais, mais jamais sa mort. Malgré son âge, elle avait nourri mon amour. Maintenant tout était fini. Elle était morte, je ne devais plus penser à elle. Je sanglotai, gémis et pleurai jusqu'à ce que tout fut parti, tout mon amour, et comme d'habitude je me retrouvai seul au monde.

Le patron de l'hôtel philippin fut content de me voir. Je ne fus pas surpris quand il m'annonça que ma chambre était libre. C'était une chambre pour moi. Je la méritais — la plus petite chambre, la moins accueillante de tout Los Angeles. Je gravis les escaliers et ouvris la porte de mon trou à rat.

« Vous avez oublié quelque chose », dit le patron. Sur le seuil, il tenait ma machine à écrire portative. Je fus stupéfait, non de la retrouver, mais de l'avoir totalement oubliée. Il la posa sur la table et je le remerciai. Je fermai la porte, ouvris une valise et pris *la Faim* de Knut Hamsun. C'était un de mes trésors, dont je ne m'étais jamais séparé depuis que je l'avais volé à la bibliothèque de Boulder. Je l'avais lu tellement de fois que je le connaissais par cœur. Mais c'était sans importance. Plus rien n'avait d'importance maintenant.

Je m'allongeai sur le lit et dormis. Je me réveillai au crépuscule, allumai la lumière. Je me sentais mieux, débarrassé de ma fatigue. J'allai m'asseoir devant la machine à écrire. Je voulais écrire une phrase, une seule, alors je pourrais en écrire deux ; si je pouvais en écrire deux, je pourrais en écrire une troisième, et ainsi de suite à l'infini.

Mais si j'échouais ? Si j'avais perdu tout mon merveilleux talent ? S'il avait brûlé dans l'incendie de Biff Newhouse écrasant son poing sur mon nez ou dans la mort d'Helen Brownell ? Que faire alors ? Retourner chez Abe Marx et redevenir saute-ruisseau ? J'avais dix-sept dollars dans mon portefeuille. Je me redressai devant la machine à écrire et soufflai sur mes doigts. S'il vous plaît, Seigneur, s'il vous plaît, Knut Hamsun, ne m'abandonnez pas maintenant. Je me mis à écrire :

« Le moment est venu, » dit le morse,
    « De parler de maintes choses :
De cadeaux — de bateaux — et de châteaux en
    Espagne — De poireaux — et de rois — »

Je regardai ce que j'avais écrit en me léchant les lèvres. Ce n'était pas de moi, mais bon sang, il fallait bien commencer quelque part.

POSFACE

« *Here, at last, was a man who was not afraid of emotion.* » C. Bukowski, préface à la réédition de *Ask The Dust*. Les deux meilleurs romans jamais écrits sur Los Angeles sont sortis la même année, en 1939. Typiquement, leurs auteurs n'étaient pas natifs de la ville ; et, encore plus typiquement, les deux livres ne se vendirent pas du tout malgré des critiques élogieuses mais mal exploitées. *Ask The Dust et The Day of the Locust* ont dû avoir droit chacun à leur vitrine chez Stanley Rose, le libraire ami des écrivains, juste à côté de Musso-Frank's, sur Hollywood Blvd. John Fante et Nathanael West étaient tous deux des habitués et protégés de Stanley Rose, bien que West ait été plus intime avec lui. Ils allaient souvent chasser ensemble, parfois avec Faulkner. Fante était connu, respecté, mais sans doute moins aimé, à cause de son *magazine*, et avant ça encore dans l'*American Mercury* et même, une fois, dans le *Saturday Evening Post (Helen, Thy Beauty Is To Me)*. Il était connu et respecté, mais sans doute moins aimé, à cause de son sale caractère et du pli amer qu'il avait perpétuellement au coin des lèvres. On aimerait avoir pu passer devant ces vitrines : toute une cascade de rouge, pour *The Day of the Locust,* la jaquette voyante qu'avait concoctée Random House et que West détestait tant. Le titre était imprimé en blanc sur un fond de pellicule noire, et pour comble de vacherie l'éditeur avait ajouté, sur le fond rouge, une caméra de cinéma d'un jaune si criard que West était même allé jusqu'à télégraphier à Bennett Cerf qu'il était prêt à le défrayer s'il acceptait de refaire la jaquette et d'enlever l'ignominie. (« *Noir, rouge et blanc, c'est suffisant pour le marché des petits blancs ; ou est-ce que le jaune est censé servir d'appât pour les ivrognes mexicains ?* »). Random House ne vendra que 1700 exemplaires du meilleur roman de Nathanael West.

Je ne peux en revanche pas parler de la jaquette de *Ask the Dust*, ne l'ayant jamais vue. L'édition originale est encore plus rare, si possible, que celles des romans de West. L'éditeur de *Ask the Dust*, Stackpole, avait eu la riche idée de publier, la même année, une édition « critique » de *Mein Kampf* — ceci sans en aviser Adolf ni même ses éditeurs américains, Houghton Mifflin. Le procès avait coûté cher et le livre de Fante en avait souffert, sorti sans promotion aucune malgré les éloges critiques. Carey McWilliams, dans *The Nation*, avait qualifié le livre de « *classique* ». Mais en 1976 quand j'avais voulu le lire, le foutu classique ne se trouvait dans aucune collection, aucune librairie, sur aucune étagère de bibliothèque.

J'avais appris son existence simplement parce qu'à l'époque je traduisais les *Mémoires d'un vieux dégueulasse* et que Bukowski parlait souvent de Fante ; lui qui n'avait que fiel et fiente pour les « grands » auteurs américains et ne faisait d'exception que pour Knut Hamsun et Hemingway, il admettait tout de même avoir lu un grand bonhomme, un grand écrivain durant la période où il écumait les salles de lecture de la Los Angeles Public Library. Il était tombé sur *Ask the Dust*, par hasard, et l'auteur en était John Fante. « *Il devait avoir une influence sur ce que j'ai écrit, qui m'a duré toute ma vie.* » « *Les lignes roulaient facilement sur la page, ça coulait bien. Chaque phrase avait sa propre énergie et elle était suivie par une autre exactement pareille. La substance même de chaque ligne donnait sa forme à la page, on avait l'impression de quelque chose sculpté dessus.* » Bukowski avait une carte de bibli et avait pu emmener le bouquin avec lui pour le lire au lit, dans une de ses fameuses chambres d'hôtel. Mais en 1976 le volume — peut-être le même — se trouvait à la réserve de la bibliothèque municipale, et seulement « à consulter sur place ». Je l'avais lu en une séance, un après-midi, au milieu des clodos assoupis et sous le réconfortant vrombissement des antiques ventilateurs qu'ils ont là-bas downtown.

Moi non plus je n'avais jamais lu quelque chose de semblable ; ou plutôt si. Je l'avais même traduit. Tous les livres de Fante, ou presque, racontent la saga d'Arturo Bandini, fils d'immigrant italien du Colorado et futur grand auteur, grande gueule et salopard. Bandini est bien sûr ce que Hank Chinaski

185

est à Bukowski ; mais c'est surtout par le style qu'on trouve dans *Wait Until Spring, Bandini* (1938), *Ask the Dust* (1939) et dans son recueil de nouvelles *Dago Red* (1940) qu'on voit exactement ce qui pouvait séduire Bukowski : la même drôlerie, la même méchanceté, le même amour, le même poids des mots sur la page (Buk ne tape pas ses histoires ou ses poèmes, il les *gaufre* sur le papier, utilisant une effrayante bouzine qui ressemble plus à un tank Sherman qu'à une machine à écrire).

Les histoires que raconte Fante sont toujours les mêmes, inlassablement ressassées ; c'est son histoire. Comme celui d'Arturo, son père était maçon, un bon maçon et un mauvais homme et un mauvais mari ; Fante n'arrête pas de parler de ses parents dans ses livres : un père buveur et coureur, souvent infect, parfois grand. Une mère victime-née, une sainte qu'on a envie de battre. Fante raconte des histoires hilarantes sur son enfance, la neige du Colorado qui réduisait son père à l'inactivité et au désespoir — et à des rages folles ; des histoires avec des titres comme *A Nun No More, Première Communion, Enfant de Chœur, La Route de l'Enfer, L'Odyssée d'un Rital* (The Odyssey of a Wop), *La Colère de Dieu, Une épouse pour Dino Rossi, Un kidnapping dans la famille* ou, ma préférée, *My MOther's Goofy Song*. Après 1940 Fante n'écrira que rarement, accaparé par des boulots plus lucratifs mais plus frustrants pour les studios hollywoodiens.

Il écrira tout de même *Full of Life*, son seul véritable grand succès (*Reader's Digest* plus un film Columbia avec Richard Conte, Judy Holliday, signé Richard Quine et adapté par ses soins), un livre qui raconte ses péripéties de jeune marié, futur papa et scénariste débutant. Ironiquement, aussi drôle soit-il, c'est sans doute son livre le plus faible. En 1977 il en publiera la suite, *The Brotherhood of the Grape*. Coppola et Robert Towne l'aiment tellement qu'ils parlent de le filmer. Coppola le fera paraître en feuilleton dans son magazine d'alors, *City Magazine*. Le film ne se fera jamais.

Ce n'est qu'une des nombreuses frustrations et déceptions que Fante connaîtra à cause d'Hollywood, même si ses travauxx intermittents pour les studios lui ont assuré une sécurité relative, une maison à Malibu, et sans doute aussi une paix relative : Fante a toujours détesté devoir compter sur les autres pour sa subsistance, et toujours haï l'aide qu'il recevait, que ce soit de sa taulière en période de dèche noire, ou plus tard devoir compter sur l'argent de sa femme, Joyce, qu'il a épousée à Reno contre les souhaits de sa famille (à elle), en 1937.

Il l'avait connue à Roseville, un petit bled près de Sacramento, où il habitait alors avec ses parents (il avait une chronique dans le *Roseville Tribune*). Elle écrivait des poèmes et s'ennuyait dans son milieu bourgeois. Fante lui semblait appartenir à un monde plus coloré, plus excitant. Et de fait, il lui en fera voir de toutes les couleurs. Joyce Fante elle-même n'a jamais eu qu'amour et adoration pour son mari. C'est elle qui a écrit, sous dictée, le dernier roman de Fante publié en 1982 par Black Sparrow, *Dreams from Bunker Hill*, la fin de la saga d'Arturo Bandini. Fante était à cette époque diminué physiquement, littéralement : diabétique depuis 1955, il avait ensuite perdu la vue à la suite d'une opération. Ensuite on avait dû l'amputer d'une jambe à cause de la gangrène, puis de l'autre.

C'est parce que je le savais ainsi affligé que je n'ai jamais pu me résigner à aller le voir, alors que c'était tout à fait possible encore (d'autres n'ont pas eu les mêmes scrupules, et heureusement). C'est l'éditeur de Bukowski, John Martin (de Black Sparrow), qui a publié son dernier livre, et depuis réédité presque tous ses livres. L'ironie est encore plus grande quand on s'aperçoit qu'avec *Dreams from Bunker Hill* Fante renvoit l'ascenseur à Bukowski : il écrit désormais comme lui, plus cru, plus paillard que d'ordinaire. Voire salace.

John Fante est mort en mai dernier, juste au moment où les gens (les jeunes surtout) commençaient à redécouvrir son œuvre ; au moment aussi où Bunker Hill lui offre non pas une mais deux douzaines de pierres tombales, sous forme de gratte-ciel et autres pyramides de verre (vous en avez un aperçu dans le film *Tonnerre de Feu*, avec les deux tours Arco, le Wells Fargo Building, le Security Pacific et toutes ces belles immondices qui ont poussé sur la colline depuis trois ans. Le seul bâtiment encore reconnaissable est, ironiquement, le bel édifice art déco « *early California* » qui abrite la bibliothèque municipale.

La « *colline* », c'est celle que chante Fante dans son livre *Ask the Dust* ; c'est Bunker Hill, une colline qui surplombe le centre-ville — le premier quartier résidentiel de Los Angeles, jadis parsemé de gigantesques villas au style inoubliable, néo-Kremlin, victorien dérangé. Dans les années 40 et 50 la colline était tombée en désuétude, et ne faisait plus que le régal des seuls directeurs artistiques et metteurs en scène en quête de décors un peu intrigants : c'est là que furent tournés le *M* de Losey, et aussi *En Quatrième Vitesse*. Dans ces films, on peut encore voir le fameux Angels Flight, le « *funiculaire des anges* » dont parle Verne Chute dans son polar du même titre (1). C'était un funiculaire pittoresque, qui faisait le tire-cul de Hill Street, où se trouve toujours le marché mexicain (Central Market), et le haut de la colline sur Olivé.

Il y avait aussi une sorte de métro, lilliputien ; et deux tunnels, qui existent toujours du reste, ceux des Seconde et Troisième Rues. A présent, tout le flanc de la colline, vu de Hill Street, est couvert de béton : des logements pour les vieux, et plus haut des « condominiums » et appartements de luxe. Downtown, et surtout Bunker Hill, jadis un véritable tas de planches blanchies par le soleil et infestées de rats, sont devenus *le* quartier chic où habiter. Mieux encore que Marina Del Rey ! « *Si vous habitiez Downtown* », clame une banderole, « *vous seriez déjà chez vous* ».

Dans sa période de « formation » et de vaches maigres, Fante habitait un de ces hôtels sur Bunker Hill qui m'ont toujours fait rêver, un de ces établissements à flanc de colline où vous entriez par le haut, au cinquième, où se trouvait le hall ; et vous preniez l'ascenseur pour descendre à votre chambre. Il se nourrissait d'oranges, et écrivait des lettres interminables à son héros H.L. Mencken, le Grand Manitou de Baltimore et directeur du tout-puissant *American Mercury*. Il l'appelle irrévérencieusement mais affectueusement J.C. Hackmuth dans ses livres. (« *Le grand Hackmuth !* »). Mencken avait pour habitude de dire à ses jeunes auteurs de jeter à la poubelle leurs trois premiers manuscrits, mais il finit tout de même par publier la première nouvelle de Fante, « Alter Boy », dans le *Mercury* en 1932. Et c'est Mencken également qui assura un contrat d'éditeur à Fante pour son premier roman en 1937.

L'autre idole de Fante était Sinclair Lewis. Les romans de Fante sont largement autobiographiques, mais avec des enjolivures et des mensonges. N'empêche qu'on reconnaît l'homme derrière : ses rodomontades irrésistibles, ses colères hilarantes. Tout

188

est excessif chez Fante : ses amours, ses engouements, sa fierté, son abjection, et sa mauvaiseté. Il est difficile de comprendre d'où viennent ce ton et cette verve si modernes, dans un roman de 1939 : Arturo Bandini est sujet à des crises de rage folle, et de sadisme, en particulier à l'égard de son grand amour du moment, une serveuse mexicaine nommée Camilla Lopez, Arturo n'est même pas au-dessus des remarques racistes si besoin est.

En fait, tout ceci était en grande partie compensatoire. « *Je ne l'ai même pas baisée, cette Camilla ; et c'était une lesbienne* », a révélé Fante dans une interview, peu de temps avant sa mort. Il se trouvait bien à Long Beach lors du terrible tremblement de terre de 37 qui rasa une grande partie de la ville, mais ce n'était pas exactement dans la situation qu'il décrit dans *Ask The Dust* : il était avec une institutrice en train de commettre un péché mortel. « *Toute sa vie, il a été terrorisé par les immeubles en briques ; dès qu'il se trouvait dans un immeuble en briques il se mettait à suer à grosses gouttes* », dit sa femme.

Parce que toute sa vie Fante a été en proie aux remords et à la répression, en bon rebelle catholique. S'il parvient à trouver en lui tant de violence et tant de méchanceté pour ses personnages, c'est que Fante était loin d'être un saint — en fait, au dire de certains de ses amis et connaissances, c'était un être particulièrement désagréable et teigneux, qui possédait un sens de l'humour très particulier, et à sens unique. Bezzerides raconte comment un jour à une réunion de la Writers Guild au Hilton il avait insulté ouvertement l'ami avec qui il était, qui se trouvait être homosexuel. « *Salut, Al, comment ça marche avec ton pédé de copain ?* » Et comment, dans un ascenseur, alors que Bezzerides portait un manteau qu'il aimait particulièrement, couleur fauve, Fante s'était pointé, lui demandant immédiatement « *où il avait dégotté ce manteau couleur merde ?* » Fante lui avait auparavant emprunté 300 dollars le jour où Bezzerides avait touché son premier chèque Warner. Un an après il était toujours à lui réclamer l'argent ; il a finalement dû aller trouver la femme de Fante, qui lui a avoué qu'elle avait donné la somme trois fois à Fante. Il l'avait sûrement jouée.

Il n'est que de noter le pli qu'il a au coin des lèvres sur à peu près toutes les photos connues de lui pour se persuader de la véracité de ces histoires.

C'est aussi ce qui donne la force à ses bouquins.

C'est en 1935 que Fante s'est mis à cachetonner dans les studios, surtout à la Columbia. C'est Joel Sayre qui l'a d'abord mis sur un coup fumant chez Warner, une histoire de gangsters pour Edward G. Robinson. Sayre lui a dit de ne rien faire et d'attendre son chèque. Le film ne s'est jamais fait. (C'est ce même Joel Sayre qui devait deux ans plus tard écrire *The Road to Glory* avec Faulkner, une histoire de tranchées genre *Les Croix de Bois* — pour Hawks et la Fox). Dans le métier Fante est surtout connu pour *Full of Life* qui reçut une nomination aux Oscars. Fante a aussi son nom au générique de films connus comme *Jeanne Eagels* (Kim Novak), *My Man and I*, et une adaptation particulièrement gratinée du *Walk On The Wild Side* de Nelson Algren.

Comme ses collègues scénaristes et romanciers Jo Pagano, Al Bezzerides et Bill Saroyan, Fante faisait partie de ce groupe disparate qui tirait matière de leurs origines ethniques respectives ; italiennes dans le cas de Fante. Seul Saroyan a connu la célébrité. Les autres n'ont pas exactement été pourris par Hollywood ; il n'est pas certain qu'ils auraient eu la force de continuer la littérature comme geste, le dos au mur, comme ils la pratiquaient dans les années trente, rien que pour avoir le plaisir de lire leur nom dans *Story* ou être publiés par le « grand *J.C. Hackmuth* ». Et rien ne dit qu'ils auraient pondu moult chefs-d'œuvre s'ils ne s'étaient laissés tenter par les salaires phénoménalement lucratifs offerts par les studios (parce qu'il ne faudrait tout de même pas l'oublier, seul West a eu la décence et la lucidité de le reconnaître, après l'échec commercial de *The Day of the Locust* : « *Thank God for the movies !* »). Simplement Hollywood a empêché ces hommes de continuer à se battre le dos au mur, sauvagement — et aussi, plus miséricordieusement peut-être, les a empêchés d'aller rejoindre les raclures de salons à New-York et autres tapisseries de l'Algonquin.

Il y avait aussi, dans la même proportion des salaires, un colossal sentiment de culpabilité (c'était la Guerre, c'était la Dépression) qui poussait souvent ces hommes à des conduites aberrantes ou destructrices, en général le jeu ou l'alcoolisme — ou la méchanceté et le jeu, dans le cas de Fante.

N'empêche qu'il reste une œuvre pour nous vierge comme la nouvelle neige et à découvrir — un de ces petits lopins de *terra incognita* qui demeurent encore dans la littérature américaine et qu'on pourrait facilement réclamer, en homestead, pour le prix d'un dollar. Il se trouve que justement ce lopin se trouve sur Bunker Hill, à deux pas de chez moi, à deux livres de chez vous, pour peu qu'on s'aventure à les traduire dans toute leur verve et leur violence — ce style de Fante qui a fait des petits depuis, ce style qui fait péter les mots hors de leurs gongs et livre le bonhomme dans toute sa pétulante, ses ridicules et sa grandeur. « *Los Angeles, give me some of you ! Los Angeles, come to me the way I came to you, my feet over your streets, you pretty town I loved you so much, you sad flower in the sand, you pretty town* ». Il faut en avoir sacrément dans la culotte pour s'abandonner de la sorte, donner libre cours aux miasmes de ses émotions — et appeler Los Angeles « *pretty town* ». Et ne trouvez pas drôle si ça vous rappelle un peu quelque chose, comme cet hôtel au début de « The Way the dead love », dans *Au sud de nulle part* (Grasset) : vous savez bien, « *it was a hotel near the top of a hill...* »

Philippe GARNIER
Los Angeles, août 83

(1) Série Noire, 1609.

Achevé d'imprimer
sur les Presses Bretoliennes
27160 Breteuil-sur-Iton

N° d'éditeur : 680
Dépôt légal : septembre 1986. — N° d'impression : 435